Prédictions Astrologie et Anges 2024

Astrologues

Alina A. Rubi et Angeline Rubi

Publication indépendante

Astrologues : Alina A. Rubi et Angeline Rubi

Courriel : rubiediciones29@gmail.com

Éditeur : Angeline A. Rubi

rubiediciones29@gmail.com

Prévisions générales 2024

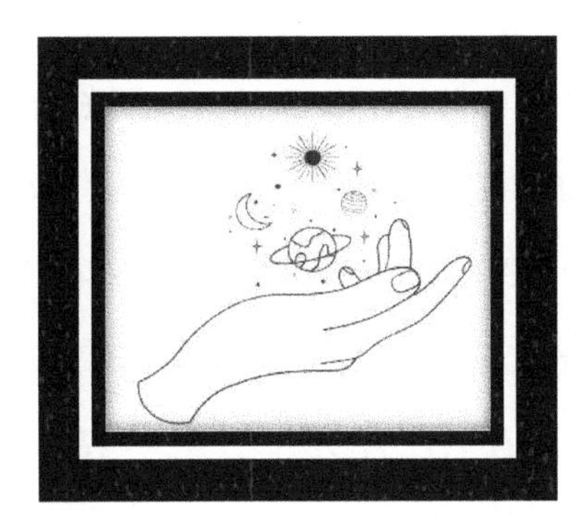

L'année 2024 est arrivée ! Une année astrologiquement significative. Nous serons témoins d'événements qui auront un impact sur le monde entier, une période de transformation collective est à nos portes. Une période de réflexion, d'abstraction, d'évaluation et de séparation de ce qui ne fonctionne plus.

Nous assisterons à une restructuration des systèmes politiques qui entraînera des changements dans l'équilibre des pouvoirs, la manifestation de nouvelles tendances politiques et des transformations dans le mode de fonctionnement des autorités et des gouvernements.

L'énergie de Pluton apportera des changements significatifs à l'économie, de nouvelles industries et entreprises se développeront, mais le déclin des entreprises établies se poursuivra. C'est le début d'un nouveau cycle économique avec un grand potentiel d'innovation.

Pluton continuera à exercer des effets catastrophiques sur la structure sociale des pays. Toutes les questions relatives au pouvoir, au contrôle et à l'autorité feront la une des journaux cette année. Cela conduira à la création de nouvelles structures de pouvoir. C'est le début d'une ère avec plus de valeurs et de conscience sociale.

Un changement dans les forces du pouvoir mondial est à venir, car le retour de Pluton signale une période de métamorphose pour les États-Unis. Cela implique un changement dans l'équilibre des pouvoirs entre tous les pays du monde, et nous assisterons à l'émergence de nouveaux acteurs mondiaux et à la transformation des relations mondiales.

Le 20 janvier 2024, à 19 :51 (EST), Pluton transite du Capricorne au Verseau. Il ne s'agit pas d'un transit définitif car Pluton reviendra dans le signe du Capricorne au moment des élections américaines et retournera en Verseau le 19 novembre 2024. Ces élections seront inoubliables car le séjour de Pluton en Capricorne du 1er septembre au 19 novembre coïncide avec elles. Ce transit augmente l'insécurité, la méfiance, les dilemmes et les turbulences dans l'environnement politique.

Au cours de la période précédant les élections, le pays sera confronté à de graves et profondes questions relatives à l'autorité et à la démocratie. Le résultat de ces élections sera un signe planétaire du changement et de l'évolution nécessaires. Il sera la voix des enjeux de la planète Pluton en transit.

Lorsque Pluton transitera le signe du Verseau, d'importants changements mondiaux commenceront à se produire. Ce transit entraînera une analyse profonde de la manière dont l'autorité, les gouvernements et les méthodes sociales sont traités dans le monde entier. Toutes les structures de pouvoir seront ébranlées et les normes établies seront remises en question. Tous ces changements se produiront progressivement.

Tous ces événements astrologiques auront un impact sur nous au niveau personnel. Tous les changements globaux tendent à nous motiver à grandir en tant qu'individus. Si vous pouvez comprendre les enjeux et les énergies en jeu, vous aurez la possibilité de vous préparer aux changements qui peuvent vous affecter directement.

Alors que le monde subit ces changements de valeurs sociales, nos valeurs changent également. Cela implique une réévaluation de nos croyances, de nos priorités et de nos modes de pensée. Au fur et à mesure que nos valeurs changent, nous entrons en relation avec des personnes qui partagent nos convictions.

Les changements financiers qui résulteront de ces influences créeront des opportunités professionnelles car de nouveaux secteurs émergeront. Il est nécessaire de se tenir au courant des nouvelles tendances économiques pour réussir dans ces systèmes en mutation.

L'entrée officielle de Pluton dans le Verseau commence le 19 novembre 2024. Pluton déforme, corrompt et transforme les thèmes de la planète qui gouverne le signe dans lequel il transite. Ces thèmes subissent un processus de mort et de renaissance et finissent par être changés à jamais.

Le signe du Verseau est lié à la science, aux découvertes scientifiques, à la technologie, au cosmos, aux révolutions politiques et sociales, aux changements sociaux et aux idées libérales.

Les événements possibles de Pluton en Verseau comprennent un large éventail d'avancées technologiques et scientifiques. De nombreuses avancées spécifiques verront le jour dans les domaines de l'intelligence artificielle et de la nanotechnologie. Nous connaîtrons littéralement une révolution industrielle, étant donné que le signe du Verseau régit la technologie. Nous vivrons des événements extrêmement importants liés aux voyages dans l'espace, à l'existence des extraterrestres et à la mise en œuvre de technologies qui réduiront notre dépendance au pétrole.

Un autre changement qui se produira avec ce transit concernera la structure du pouvoir, la liberté et la capacité à donner une voix aux opprimés. Avec Pluton en Verseau, un ouragan de développements politiques se prépare et ce n'est un secret pour personne que les régimes autoritaires abondent. La division politique que nous avons observée aux États-Unis va encore s'accélérer. Les luttes de pouvoir et la création de nouveaux partis politiques se poursuivront.

Il y aura une séparation des prototypes caractéristiques du pouvoir au fur et à mesure que les dominés acquièrent plus de pouvoir et de droit à la justice.

En bref, un cycle totalement inconnu est en cours. L'année 2024 est un portail vers une dimension complètement différente. Les trois planètes extérieures Jupiter, Saturne, Uranus et Neptune. Elles travailleront à l'unisson pour nous aider à créer une réalité complètement différente. Uranus, Neptune et Pluton uniront leurs forces pour élever notre conscience et inscrire l'ère du Verseau dans le marbre.

Nous avons la chance que la technologie et la spiritualité nous soutiennent dans ces changements vers un monde complètement différent, où l'originalité et l'évolution personnelle prévalent, alors que de plus en plus de personnes s'éveillent et se déconnectent de l'oppression mentale à laquelle elles ont été soumises.

Nous devons être raisonnables et nous rappeler que pour que ce nouveau cycle avance, toutes les structures obsolètes doivent continuer à s'effondrer, comme c'est le cas depuis 2021. Saturne, maître impitoyable, a la charge de ce processus lors de son passage en Poissons, tandis que Jupiter tend sa main douce.

Les nœuds lunaires sur l'axe du Bélier et de la Balance continueront à mettre fin aux relations toxiques, abusives et addictives.

N'oubliez pas que l'astrologie joue un rôle dans l'alignement des événements sur le comportement humain. La prudence et l'adaptation sont des qualités décisives pour les opportunités et les défis de 2024.

La fusion des connaissances astrologiques et de l'expérience vécue nous permettra d'avancer vers un avenir plus radieux.

N'oubliez pas que lorsque le monde change, vous avez la possibilité de changer avec lui. Si vous ne résistez pas au changement, vous passerez l'année 2024 en bonne santé.

Bélier

Puissant et charismatique, le Bélier, premier signe du zodiaque, se nourrit du feu, son élément naturel, lorsqu'il s'agit d'amour et de romance.

Connus pour leur tempérament imprévisible et leur tendresse, les Béliers ont de multiples facettes en matière d'amour.

Le succès du Bélier tient en partie à son magnétisme et à sa capacité naturelle à attirer grâce à son enthousiasme et à son optimisme innés, animant toutes ses relations par sa joie de vivre contagieuse.

Le Bélier étant un signe aussi ambitieux, il n'est pas étonnant qu'il recherche la relation parfaite. Le Bélier pourrait vous dire que la relation idéale est une relation sans disputes, mais en réalité ce signe est plus heureux avec une dose excitante de tension.

Il aime gagner et la compétition l'incite à montrer ses meilleures qualités.

Si vous voulez l'occuper, n'oubliez pas de reconnaître ses victoires.

Tous les signes de feu (Bélier, Lion et Sagittaire) ont besoin d'un public, mais le signe du Bélier est peut-être le plus audacieux lorsqu'il s'agit de montrer son besoin de validation, et vous aurez toujours une relation heureuse avec le Bélier assertif si vous terminez chaque mot par un point d'exclamation au lieu d'un point d'interrogation.

L'ego du Bélier fait partie de sa configuration cosmique et peut parfois être arrogant, mais son ego n'est pas négatif. En fait, tout le zodiaque commence par la confiance en soi du Bélier.

L'esprit vif du Bélier est vivifiant et stimulant, mais il peut être délicat car le Bélier exige une attention constante qui, si elle n'est pas bien gérée, peut l'épuiser. Il est important que les partenaires du Bélier apprennent à dire non, même si cela signifie qu'ils doivent supporter des crises de colère occasionnelles.

N'oubliez pas que les Bélier testent toujours les limites ; par conséquent, ne soyez pas surpris si votre partenaire Bélier dit ou fait parfois quelque chose d'inapproprié. C'est sa façon de mesurer ce qui peut ou ne peut pas être abordé ; par conséquent, si votre partenaire Bélier fait quelque chose de mal, assurez-vous de le lui dire immédiatement.

Ce signe de feu respecte les limites personnelles, donc une fois qu'il aura compris les paramètres de votre relation, il s'assurera de respecter vos exigences.

Le Bélier a besoin d'être protégé et soutenu à tout moment et, malgré son image de force, il est en fait extrêmement délicat ; par conséquent, si vous êtes prêt à jouer le rôle de meneur de jeu émotionnel, votre partenaire Bélier vous en sera éternellement reconnaissant.

Le Bélier est très ambitieux et veut faire partie d'un partenaire qui brille en privé et en public. Cependant, si les aspirations du partenaire du Bélier dépassent cela, ce signe de feu devient un peu jaloux.

Si cela se produit, ne vous inquiétez pas : trouvez une occasion de célébrer vos réalisations et vous rayonnerez certainement de gratitude.

Il est déconseillé de jouer en amour, mais les choses sont différentes avec le Bélier, qui aime les défis. Cependant, il ne faut pas avoir recours à la manipulation, car le Bélier est franc et il n'y a rien qu'il déteste plus que d'être taquiné.

Vous pouvez plaisanter et être enjoué, mais en fin de compte, assurez-vous de toujours le faire avec des intentions honnêtes.

Le Bélier aime le confort et apprécie le style. Si vous cherchez de nouvelles façons d'attirer son attention, n'ayez pas peur de vous démarquer : il est attiré par les choix de mode stimulants, les couleurs vives et les motifs audacieux.

Les malentendus captent son cœur ardent et, comme il aime la gaieté, s'il vous voit vous amuser, il sera immédiatement attiré par elle.

Le Bélier se nourrit de passion, et lorsqu'il s'agit de relations à long terme, il est essentiel de trouver des moyens nouveaux et excitants de maintenir la flamme de l'amour constamment allumée.

Le sexe est important pour le Bélier ; le contact physique le rassasiera sûrement.

Ils veulent toujours sentir que la relation est un choix et non une obligation ; ils maintiendront donc l'étincelle en insufflant à leur relation de l'aventure, du drame et, bien sûr, des disputes occasionnelles.

Si vous êtes en couple avec un Bélier depuis longtemps, vous savez que votre relation arrivera à la croisée des chemins.

Le Bélier ayant l'habitude de se lancer à corps perdu dans les relations amoureuses, il est très important pour lui d'avoir des moments de réflexion, car il a besoin de liberté pour considérer les implications à long terme de son engagement. C'est pourquoi vous devez lui laisser l'espace nécessaire pour peser les options et prendre une décision.

Après un peu de réflexion, votre partenaire Bélier reviendra certainement à la relation avec plus d'enthousiasme.

Horoscope général pour le Bélier

L'année dernière a été stimulante et passionnante. On ne s'est jamais ennuyé. La vie semblait trépidante et délirante. En apparence, c'était de la folie, mais en réalité, il s'agissait d'un programme spirituel profond. J'ai été et j'ai été libéré de toutes sortes de servitudes.

Les prédictions pour le Bélier en 2024 indiquent que la première moitié de l'année sera pleine de chance, d'amour et de croissance. Mais dans la seconde moitié de l'année, il pourrait y avoir des problèmes de santé, d'affaires, de vie amoureuse, de travail et bien plus encore.

Cette année 2024, vous pouvez avoir quelques problèmes de santé et des hauts et des bas dans votre situation financière, mais fondamentalement, votre santé sera la principale préoccupation.

Les hauts et les bas sont également perceptibles dans votre vie amoureuse. Essayez de maintenir le respect dans vos relations.

La planète Mercure devient directe la première semaine de janvier et ce changement cosmique mettra l'accent sur votre vie sociale tout au long de l'année. Vous avez tous les atouts pour une année prospère, alors soyez à l'affût de toutes les opportunités.

Bélier, cette année 2024, vous devez essayer d'être cohérent avec votre travail et votre dévouement. Si vous travaillez sur un projet depuis longtemps ou si vous vous y êtes consacré avec enthousiasme, le destin tournera les choses en votre faveur. Le ciel déversera une avalanche de positivité et de succès dans votre vie.

Les influences planétaires vous rapprocheront encore plus de l'amour de votre vie si vous n'avez pas de partenaire. L'horoscope 2024 indique que vous partagerez une relation romantique agréable avec un partenaire cette année. Il peut y avoir quelques malentendus et des conflits mineurs, mais l'expérience globale sera un bonheur absolu.

Les liens familiaux seront satisfaisants. Vous pourrez compter sur vos proches en toutes circonstances. Il y aura toujours des désaccords et des divergences d'opinion avec votre entourage, mais il n'y a pas de mauvaises surprises dans votre horoscope 2024.

Attendez-vous à quelques changements dans votre profession, mais vous aurez du travail et de l'argent, les choses les plus importantes en cette période de récession. Vous serez passionné et ambitieux dans tout ce que vous ferez. La monotonie ne sera pas présente dans votre vie, qui sera aussi excitante et somptueuse que vous le souhaitez et que vous pouvez l'imaginer. La seule suggestion est de travailler dur et de profiter de toutes les opportunités privilégiées qui se présenteront à vous au cours de l'année.

Il ne faut jamais agir de manière impulsive, car cela peut ruiner les chances de réussite.

Amour

Vous devez apprendre à partager sans étouffer : c'est la merveilleuse clé qui vous ouvrira la porte du cœur de votre partenaire affectif ou de la personne que vous voulez conquérir.

Si vous n'avez pas de lien fort avec votre partenaire, chaque période de Pleine Lune vous incitera à réévaluer les priorités de votre relation et il se peut que vous ayez à faire plusieurs changements pour le mieux. Si vous faites les bons choix, vous vous impliquerez davantage ou vous vous éloignerez si vous pensez que la relation n'a pas d'avenir. En revanche, il y a des relations et des liens qui ne vous conviennent plus et que vous serez obligé d'abandonner ou, du moins, de ne plus y consacrer autant de temps et d'énergie.

L'année se termine sur une note fragile pour vous avec Mars, votre planète maîtresse, rétrograde le 6 décembre 2024 dans votre secteur amoureux.

La fin de l'année 2024 sera une période difficile pour l'amour et il sera difficile de gérer vos relations, car d'anciens problèmes reviendront et vous pourriez avoir des disputes constantes avec vos proches.

Essayez d'être plus compréhensif, plus patient et d'avoir un exutoire sain pour vos frustrations.

L'économie

Uranus restera dans votre secteur financier tout au long de l'année, continuant à changer votre façon de gérer l'argent, de gagner et de dépenser.

Essayez de trouver des opportunités financières et faites tout ce que vous pouvez pour assimiler cette énergie stimulante.

Vous pouvez transformer un hobby en quelque chose de rentable ou commencer un deuxième emploi pour gagner de l'argent supplémentaire. Cela peut vous aider à atténuer certaines difficultés et à rembourser certaines dettes.

Vous réaliserez des gains financiers grâce à des investissements boursiers. Vous investirez dans des projets commerciaux, comme l'achat d'une maison ou d'un terrain pour la construire, et vous rembourserez un emprunt.

Les prévisions économiques pour 2024 indiquent que vous percevrez des revenus provenant de biens immobiliers ou de propriétés.

Les autres vous verront plus confiant et vous confieront peut-être plus de responsabilités. Ils peuvent vous confier le contrôle d'un projet.

C'est une excellente année pour postuler un meilleur emploi, même s'il requiert davantage de qualifications professionnelles.

À certaines périodes de l'année, on peut s'attendre à des changements, des pertes ou des revers qui vous amèneront à envisager de nouvelles stratégies pour votre avenir. Ces situations défavorables sont indépendantes de votre volonté et sont dues aux conditions économiques générales.

L'année 2024 se termine par une Nouvelle Lune le 30 décembre dans votre domaine professionnel, ce qui vous aidera à vous mettre sur la bonne voie pour 2025.

Fixez de nouveaux objectifs et examinez les possibilités de rendre l'année à venir spectaculaire.

Famille

Vous pourriez passer plus de temps à la maison, à essayer de faire fonctionner votre vie de famille, et ce pourrait être l'année de la rénovation de votre maison, ou vous pourriez décider de déménager.

Profitez des périodes de Nouvelle Lune pour améliorer votre vie domestique ou passer plus de temps chez vous ou dans des endroits familiers.

Vous aurez peut-être l'occasion de faire quelque chose avec votre famille ou quelqu'un que vous considérez comme votre famille, ce qui peut être passionnant.

Vous assurerez la stabilité financière de votre famille. En effet, si vous épargnez et planifiez, vos ressources contribueront au bonheur de votre famille. Vous aurez l'occasion de vous faire de nouveaux amis et peut-être qu'une naissance ou un mariage viendra s'ajouter à votre famille après mars 2024.

Les soucis alimentaires, les troubles du sommeil dus à la charge de travail, tout cela peut causer beaucoup d'anxiété.

Santé du Bélier

Douter de votre puissante énergie serait une erreur, mais c'est un problème parce que vous pensez que vous n'avez pas de limites et cette façon de penser vous conduit toujours à en abuser. Vous abusez de votre potentiel physique comme si vous étiez Hercule et non un simple mortel.

En réalité, le corps et l'esprit ont besoin de repos et de soins pour fonctionner de manière optimale.

Vous aurez de gros problèmes de santé dans votre vie, non seulement physiquement mais aussi mentalement. En 2024, vous devrez prendre soin de votre santé, car de nombreux obstacles se dresseront sur votre chemin.

Il ne s'agit pas d'une blessure ou d'un trouble physique, mais votre santé mentale sera au plus mal et vous aurez du mal à faire face mentalement aux événements de votre vie.

Vous serez confronté à des défis majeurs et vous vous sentirez frustré au point qu'il vous sera difficile de les surmonter.

Il est nécessaire de ramener la paix dans sa vie, de mettre de côté les problèmes de colère et de faire de son mieux pour réduire le stress.

Vous devez éviter les personnes toxiques qui vous stressent et mener une vie saine. Si vous fumez ou buvez, vous devez arrêter.

Pratiquez le yoga et faites de l'exercice pour avoir l'esprit tranquille. Pour réduire le stress et éviter les problèmes de santé chroniques, vous devriez pratiquer ces activités de manière régulière tout au long de l'année.

Dates importantes

- ***Mercure rétrograde en Bélier du 1er au 25 avril*** *et* ***éclipse solaire en Bélier le 8 avril.*** *Mercure rétrograde* *dans votre signe peut être une période frustrante, où de petits inconvénients surgissent soudainement et où vous pouvez être constamment irrité. En général, vous devriez être plus patient et essayer de vous préparer avant que cela ne se produise, en éliminant les petits obstacles afin qu'ils ne semblent pas être un problème.*

- **Le 17 octobre, la pleine lune en Bélier est une** *période riche en émotions, mais aussi en résultats. Vous serez plus à l'écoute de vos émotions et plus enclin à les montrer.*

- ***Mars, votre planète maîtresse, devient rétrograde le 6 décembre et termine l'année rétrograde****. Cette rétrogradation a un impact supplémentaire sur vous, car Mars est votre planète dirigeante et chaque fois qu'elle est rétrograde, vous pouvez vous sentir léthargique. Vous devez être indulgent avec vous-même et ne pas laisser les frustrations vous conduire au désespoir. Faites preuve de souplesse dans vos projets. Cette situation se poursuivra au cours de la nouvelle année, puisque Mars sera rétrograde jusqu'au 23 février 2025.*

Taureau

Il est facile de tomber amoureux du Taureau. Ce signe n'est que poésie et passion. Dirigé par Vénus, la planète de l'amour, le Taureau aime la bonne vie et, en fait, ne se contente jamais de moins que ce qu'il mérite, une particularité qui lui a valu le titre de signe le plus têtu du zodiaque.

Dirigé par Vénus, le Taureau aime le romantisme, sait être romantique et aime être courtisé, il sait donc naturellement séduire. Le Taureau est passionné, prend ses responsabilités au sérieux et veut un partenaire pour la vie, car il est très traditionnel.

Rien n'excite plus le Taureau que ce sentiment de sécurité. Le Taureau est apprécié pour être un petit ami stable, concret et honnête. Une chose très importante à garder à l'esprit est que, avant la fidélité, le Taureau a besoin d'être nourri et arrosé comme s'il n'y avait pas de lendemain. Etant étroitement lié à Vénus, votre forme de séduction tourne autour de l'érotisme, donc si vous êtes prêt à le faire tomber amoureux, préparez-vous à un voyage plein d'échos et d'arômes.

Le Taureau étant très attaché au monde matériel, il aime exprimer son adoration par des cadeaux et n'oserait jamais lui offrir des choses de peu de valeur.

Le Taureau manifestera son admiration par un cadeau qui capte son esprit. Il ne s'agit pas d'un cadeau totalement altruiste : il attend quelque chose en retour.

Votre Taureau a besoin de savoir que vous tenez à lui et que la relation est réciproque. Après tout, chaque fois qu'il exprime une appréciation ou une aversion, il s'attend à ce que vous vous en souveniez. Soyez attentif aux commentaires de votre partenaire Taureau et prenez des notes.

Si elle mentionne qu'elle aime le pudding à la citrouille, elle attendra que vous lui en achetiez un. Bien que le Taureau soit imprégné de sensualité, il est très important de ne pas en faire trop. En fait, ce spécimen terreux se méfiera de toute personne ayant une approche grossière, alors prenez le temps de gagner sa confiance.

En amour, le Taureau n'est pas pressé ; profitez donc de l'occasion pour aller de l'avant calmement, en laissant la relation se développer naturellement.

Ils mettent du temps à s'ouvrir car ils apprécient tout le processus et, pour ce couple vénusien, tomber amoureux est une expérience incroyablement magique et précieuse. Le Taureau apprécie la sécurité et tend à se rapprocher de partenaires qui partagent ses idées sur les finances, la carrière et la famille.

Ce sujet étant très important pour lui, il est facile d'évaluer ses intentions dès le départ. Ainsi, si au troisième rendez-vous, le Taureau vous pose des questions sur vos revenus, vos aspirations professionnelles ou la maison de vos rêves, vous pouvez vous convaincre qu'il souhaite faire des progrès sérieux.

Le sexe est une chose très importante pour les amoureux du Taureau. Par conséquent, l'acte lui-même n'est pas aussi important que sa préparation.

Les préliminaires sont ce qui l'excite le plus et, comme tout avec cet enfant de Vénus, ils doivent être une expérience sensorielle complète. N'oubliez pas : le Taureau aime la tradition et ces gestes d'adoration consacrés seront bien accueillis et créeront l'atmosphère de soirées extrêmement passionnées.

La zone érogène du Taureau est le cou, c'est pourquoi un baiser dans cette zone le rendra fou. Bien que le Taureau aime être avec son partenaire, il a également besoin de beaucoup de temps seul pour se chouchouter, il prend ses rituels de soins personnels au sérieux et, surtout si son espace est menacé, il peut devenir très possessif à l'égard de ce qui l'entoure.

Ne touchez jamais aux objets sacrés du Taureau. Pour eux, prendre quelque chose sans permission est une déclaration de guerre.

Comme ce signe apprécie tout ce qui est bon et se soucie de tout ce qu'il possède, ce qui peut rapidement dégénérer en une légère tendance à l'accumulation, ne jetez en aucun cas ce qui appartient au Taureau. Cela ne vaut pas la peine de risquer leur colère. Et avec leurs goûts de luxe, il n'y a presque rien qui vaille la peine d'être jeté.

Pour le Taureau, la qualité est plus importante que la quantité. En d'autres termes, le partenaire du Taureau ne se soucie pas du nombre de portefeuilles que vous possédez, tant qu'ils sont luxueux. Lorsqu'il s'agit d'une relation à long terme avec un Taureau, l'argent est important. Bien sûr, cela ne signifie pas qu'ils sont exclusivement attirés par les milliardaires.

En réalité, l'objet n'est pas si important. Ce qui fait la différence, c'est la manière dont le partenaire gagne et économise ses revenus.

N'oubliez pas de toujours reconnaître le succès mérité de votre partenaire Taureau.

Ce signe semble un peu complexe, mais lorsque vous commencerez à vous adapter à ce mode de vie, vous vous rendrez compte que tout est justifié.

Le Taureau aime la nourriture, le chemin vers le cœur du Taureau passe par l'estomac ; par conséquent, les relations les plus sensuelles incluront toujours un repas gastronomique.

Horoscope général pour Taureau

Uranus restera dans votre signe tout au long de l'année et se joindra à Jupiter à partir de 2024. La combinaison d'Uranus et de Jupiter est fabuleuse pour développer des projets et saisir des opportunités qui vous apporteront de nombreux bénéfices.

L'année commence avec une grande énergie positive dans votre signe, ce qui vous donnera un sentiment de rajeunissement. Cependant, cet enthousiasme peut aussi provoquer de l'impatience.

Vous vous efforcerez de réussir, mais il y aura peut-être des mois où vous vous sentirez agité et stressé.

Des distractions extérieures peuvent interrompre votre progression au travail. Vous pouvez vous sentir démotivé et perdre tout intérêt pour votre travail. Vous risquez également de ne pas savoir quelle voie choisir.

Cette année 2024, vous pourriez être confronté à de nombreuses situations où vos émotions et votre nature sensible interfèrent avec votre capacité à traiter l'information, obscurcissant vos processus mentaux et affectant votre raisonnement.

Vous devez faire très attention aux personnes que vous côtoyez dans votre vie quotidienne. Essayez d'être gentil avec elles, mais ne laissez pas les personnes toxiques vous entourer.

Si vous souhaitez créer une nouvelle entreprise cette année, il est préférable de le faire avant le mois d'avril. Au cours du premier semestre, vous pourrez également tirer le meilleur parti de vos relations avec l'étranger.

Après le 1er mai, Jupiter entrera dans votre signe du zodiaque et renforcera votre capacité à prendre des décisions, ce qui vous permettra d'obtenir les résultats que vous souhaitez dans le domaine des affaires et vous rendra heureux de constater les progrès réalisés dans votre entreprise. Cette année, vous serez également en mesure d'intégrer votre partenaire dans votre entreprise.

Il se peut que vous viviez des moments chaotiques cette année, mais n'acceptez pas la défaite et n'abandonnez pas votre confiance et votre courage. Vous vous sentirez parfois perdu et même exclu, alors prenez du recul, analysez ce qui ne va pas et allez de l'avant.

Amour

Si vous avez un partenaire, vous vous sentirez heureux dans votre relation. Cependant, certains doutes ou incidents du passé peuvent interrompre votre bonheur.

Si vous êtes à la recherche d'un partenaire, vous devez vous souvenir de vos expériences passées, qui vous ont appris des leçons importantes. Ces leçons vous aideront à suivre le bon chemin.

Vous devez cultiver la patience et la tolérance dans vos relations ; ce n'est qu'à cette condition que vous connaîtrez le véritable amour. Les différences peuvent être mises de côté si vous êtes patient dans l'amour.

Certains mois de l'année, il peut y avoir des moments d'incertitude dans votre relation, mais ces situations s'amélioreront d'elles-mêmes.

Si vous cherchez l'amour, le mois de mai vous apportera de bonnes nouvelles. L'influence de Jupiter peut faciliter les demandes en mariage. Vous pourriez vous rencontrer et transformer votre relation en un engagement à long terme, tel que le mariage.

Vous devez être patient avec votre partenaire lorsque vous prenez des décisions concernant votre vie privée et éviter toute interférence de la part de tiers.

Cette année est également marquée par des phases de manque d'intimité sexuelle et de réactions agressives, qui mettent la relation en danger.

Cela pourrait signifier que vous travaillez inconsciemment sur de vieux problèmes et blocages, en essayant de renforcer vos liens émotionnels afin de vous sentir plus à l'aise dans les relations.

Pendant les périodes de pleine lune, les relations amoureuses qui sont solides peuvent être renforcées et celles qui ne sont pas sûres peuvent échouer.

Pendant les périodes de rétrogradation de Mercure, il est possible que les problèmes amoureux existants s'aggravent.

L'économie

Cette année sera placée sous le signe de la stabilité et de l'épanouissement professionnels. Saturne en Verseau vous incitera à adopter une approche disciplinée et stratégique de votre profession.

L'année 2024 est favorable pour fixer des objectifs à long terme, se perfectionner et construire une structure solide pour votre avenir, car Jupiter transitera dans votre signe jusqu'à la fin du mois de mai 2024.

Le transit de Jupiter dans votre signe vous apportera de nombreuses opportunités dans votre domaine professionnel. Ce transit vous motivera à quitter votre zone de confort et à explorer de nouveaux horizons.

Pluton transitera votre secteur professionnel pendant la majeure partie de l'année 2024, ce qui vous poussera à prendre les choses en main et à devenir autonome. Vous pouvez être considéré comme une force professionnelle, ce qui signifie que votre capacité à réussir est due à votre volonté. Il se peut aussi que vous assumiez davantage de responsabilités, mais il faut espérer que vous saurez les mener à bien.

Vous passerez une excellente année dans votre vie professionnelle. Des bénédictions vous parviendront et l'Univers vous ouvrira les bras. Vous acquerrez de nouvelles connaissances et explorerez différentes possibilités de revenus.

Vos finances vont s'améliorer, mais il est également possible que vos dépenses augmentent. Si vous n'apprenez pas à contrôler les dépenses inutiles, vos finances risquent d'en pâtir.

Vos sources de revenus augmenteront cette année et votre santé financière globale sera bonne du début de l'année jusqu'au mois de mai.

Vous obtiendrez de nombreux retours sur vos investissements et vos efforts au travail seront efficaces pour renforcer votre position financière. Vous adopterez les outils numériques pour gérer votre entreprise.

Vous aurez l'occasion de réaliser certains projets en collaboration avec d'autres personnes, mais vous devez être très prudent dans cette détermination. Ne prenez pas de décisions hâtives, car vous pourriez être trompé, la collaboration pourrait être interrompue et l'activité pourrait échouer.

Santé du Taureau

Il est nécessaire de faire attention à ce que l'on mange. Il est essentiel de suivre un régime alimentaire recommandé par un professionnel. Il ne faut pas prendre de médicaments sans avis médical.

Il est nécessaire de faire de l'exercice régulièrement et d'éviter de fumer ou de boire trop d'alcool.

Il est nécessaire de prendre soin de ses dents. La meilleure façon de traiter ces désagréments non naturels est de se rendre chez le dentiste pour conserver un sourire éclatant.

Votre santé mentale doit être prise en compte. Vous êtes peut-être fort physiquement, mais votre santé émotionnelle et mentale est tout aussi importante.

Les femmes Taureau peuvent avoir des problèmes hormonaux.

Les maladies virales peuvent faire l'objet de rechutes et rendre la vie difficile ; il convient donc de consulter immédiatement un médecin si nécessaire.

La pratique du yoga et de la méditation permet de se détendre.

Famille

Votre vie familiale sera excellente cette année. Tous les conflits en suspens seront résolus et une atmosphère de paix et de bonheur reviendra dans votre foyer.

L'amour subsistera entre les membres de votre famille, il y aura de la solidarité.

Vous êtes susceptible de déménager après le premier trimestre de l'année. Vous devez prendre soin de la santé de vos parents et les respecter s'ils sont encore en vie. Avec leur bénédiction, vous progresserez dans la vie.

Les célibataires pourront se fiancer et les couples mariés renforceront leurs liens cette année. Au cours des trois derniers mois de l'année, en raison de votre confiance, vos ennemis essaieront de vous nuire et de retarder le bonheur de votre famille, soyez donc vigilant pendant cette période.

Dates importantes

- ***27 janvier Uranus** termine son mouvement rétrograde en Taureau Uranus vous proposera des moyens inhabituels de trouver un sens à votre vie.*

- ***Le 19 avril, le Soleil entre en Taureau.*** *Il est temps de ralentir, de consolider vos engagements et de réfléchir à ce que vous voulez vraiment faire de votre temps.*

- ***29 avril Vénus entre en Taureau.*** *Le luxe est agréable, mais à ce stade, ce qui compte vraiment, c'est le plaisir. Essayez de faire quelques caprices et de vous laisser aller à quelques fantaisies. Il y a beaucoup de choses merveilleuses qui sont gratuites. Ce transit de Vénus vous apportera le succès dans les affaires juridiques.*

- ***7 mai, Nouvelle Lune en Taureau : C'est le*** *moment idéal pour prendre un nouveau départ, rechercher de nouvelles opportunités et s'engager dans une voie différente. Jupiter favorise toute nouvelle activité.*

- ***15 mai Mercure entre en Taureau.*** *Vous serez en mesure de communiquer de manière plus pratique et vous aurez une plus grande capacité de concentration.*

- ***Mars dans votre signe du 9 juin au 20 juillet.*** *Lorsque Mars transite dans votre signe, c'est une* *période de grande énergie et d'enthousiasme. Vous devriez profiter des nouvelles opportunités et agir rapidement. Mars ne transite un signe que tous les deux ans, alors profitez de cette opportunité. Il est temps de commencer un nouveau chapitre de votre vie.*

- ***Pleine Lune dans votre signe le 14 novembre**. Cette lune peut mener à la conclusion de relations ou au succès d'une idée commerciale.*

Vous serez récompensé et vous vous sentirez émotionnellement impliqué dans ce que vous faites.

Gémeaux

Le Gémeaux est un signe d'air qui trouve facilement sa place parmi les amis, les fêtes et les soirées. Les Gémeaux sont gouvernés par Mercure, la planète de la communication, et il est donc toujours possible de trouver des sujets de conversation intéressants.

Les Gémeaux sont d'excellents raconteurs de blagues et leur énergie dynamique et leur magnétisme attirent les partenaires romantiques. Les jaloux doivent savoir que les Gémeaux ne sont jamais seuls, car ils ont toujours des fans et des adeptes.

Comme les Gémeaux expriment leurs émotions à l'extérieur, ils aiment parler. Cette expression de soi est essentielle pour le Gémeaux mercurien ; il est donc nécessaire que toutes les lignes de communication soient ouvertes et prêtes à recevoir des informations de la part du Gémeaux.

Vous ne vous souciez pas vraiment de la manière dont vos idées sont transmises, l'action de partager vos pensées est plus importante que ce que vous dites. Il n'y a rien que le Gémeaux méprise plus que le temps libre : il est toujours occupé. Vous êtes toujours en mouvement avec vos nombreux hobbies, inclinations et obligations sociales.

Ce signe d'air peut se plaindre d'être surmené, mais si l'on analyse son emploi du temps quotidien, toutes ses tâches sont facultatives, ce qui montre que l'emploi du temps des Gémeaux n'est rien d'autre que le résultat de leur dualité unique.

Les Gémeaux aiment partager leurs pensées et leurs idées, mais ils n'écoutent pas bien et sont facilement distraits ; il est donc essentiel de s'assurer que votre partenaire Gémeaux vous prête attention.

Si par hasard vous le voyez se retirer de la conversation, n'hésitez pas à le lui dire et à lui rappeler que la communication est une affaire à double sens. Il n'est pas facile de maintenir l'intérêt du Gémeaux ; au contraire, il ne sait pas rester concentré.

Ce signe a pratiquement tout vu et le meilleur moyen de garder son regard fixé est de le maintenir en éveil. Apportez les changements nécessaires et n'oubliez pas que vous ne devez jamais compromettre vos valeurs ou vos besoins.

En apprenant à connaître les Gémeaux, amusez-vous à découvrir leur diversité. La technique de séduction qui fonctionne avec les Gémeaux est la conversation, et comme il s'agit du signe le plus polyvalent, ils adoreront vous parler de leurs hobbies et de leurs centres d'intérêt.

En raison de sa curiosité, parler à ce signe revient à se regarder dans un miroir, car il a la merveilleuse capacité de refléter tout ce qu'on lui dit. Cela peut paraître étrange, mais c'est en fait la nature de ce signe.

Sortir avec un Gémeaux est une expérience stimulante, mais il faut faire attention car les Gémeaux ont besoin d'une stimulation constante, ce qui rend parfois difficile d'apprendre à les connaître à un niveau émotionnel profond.

N'oubliez pas de trouver le temps de vous asseoir et de discuter avec votre partenaire Gémeaux sans distraction et n'ayez pas peur de lui rappeler que les réceptions agréables ne sont jamais du temps perdu.

Le Gémeaux aiment le sexe, pour lui c'est une autre forme de communication. Le Gémeaux à un fort appétit sexuel et quelques commentaires pénétrants suffisent à l'exciter.

Le Gémeaux a écrit une encyclopédie sur les conversations coquines. Vous pouvez donc l'exciter en lui expliquant exactement ce que vous aimez faire au lit. De cette façon, il sentira et analysera en même temps, une combinaison orgasmique.

L'une des particularités des Gémeaux est la rapidité avec laquelle ils se remettent des erreurs les plus dévastatrices. Contrairement à d'autres signes, ils ne sont pas guidés par leur ego. Ils aiment s'amuser, ils ne laissent donc pas leur ego les gêner et, lorsqu'ils commettent une erreur, ils ne sont jamais sur la défensive. Si le Gémeaux doivent s'excuser, il le fait immédiatement.

Bien que cette qualité soit très respectée, elle n'est pas entièrement généreuse. Les Gémeaux s'attendent à ce que vous acceptiez leurs excuses tout aussi rapidement. Les Gémeaux sont plus heureux lorsqu'ils sont occupés ; dès que leur emploi du temps devient trop détendu, ils trouvent des moyens de changer les choses.

Ce n'est pas qu'il a peur, c'est qu'il n'aime pas s'ennuyer.

Tout cela peut représenter un défi pour les partenaires des Gémeaux. Les relations stables exigent beaucoup d'attention et les Gémeaux ne peuvent pas la donner facilement ; par conséquent, lorsqu'ils sont en couple, ils doivent s'assurer de donner la priorité à leurs relations.

Comme ce signe d'air est prêt à tout essayer au moins une fois, mais parfois même deux fois, il aime explorer divers aspects de sa personnalité à travers les relations amoureuses.

Même s'ils ne le montrent pas, les Gémeaux recherchent un partenaire serein pour équilibrer leur espace intime ou familial, car ils ont déjà assez à changer. Ce signe d'air est constamment à la recherche de quelqu'un avec qui entretenir une bonne relation, c'est pourquoi il est toujours en mouvement.

Horoscope général pour les Gémeaux

Ce sera une excellente année pour les Gémeaux. Jupiter, la planète de la chance et des opportunités, traverse votre signe le 25 mai, ce qui n'arrive qu'une fois tous les 12 ans.

Pendant ce transit de Jupiter, de nombreuses opportunités se présenteront dans votre vie et vous vous sentirez plus optimiste. C'est un nouveau départ, un nouveau chemin, un nouveau voyage.

L'année 2024 vous apportera une grande chance, vous vous sentirez inspiré pour faire quelque chose de nouveau ou réaliser quelque chose que vous voulez faire depuis de nombreuses années.

Votre chance et vos efforts vous permettront d'établir votre nom dans le domaine professionnel et de vous créer une identité dans les affaires. En outre, vous pourrez mener à bien une tâche ancienne ou un projet en suspens depuis un an.

Vous pouvez gagner beaucoup d'argent, mais pour cela vous devez éviter de prendre des décisions irréfléchies et de vouloir construire un empire du jour au lendemain.

Si vous avez un emploi, vous travaillerez plus dur que l'année dernière, mais cela vous apportera de nouvelles opportunités et même des offres dans de nouvelles entreprises. En général, Jupiter veillera à ce que vous obteniez les meilleures opportunités.

Après juillet, vous devrez vous concentrer, car Saturne rétrograde peut créer des situations difficiles et tendues. Au cours de cette période, vous devrez faire preuve de prudence et planifier soigneusement pour éviter les erreurs.

En 2024, vous serez très heureux et satisfait de votre partenaire la plupart du temps. À partir de la seconde moitié de l'année, il y aura quelques conflits et malentendus dans votre relation et ce sera également une période où les perspectives de mariage ne se concrétiseront pas.

Donnez la priorité à votre partenaire, vous devez faire tous les efforts possibles.

Si vous êtes célibataire, vous rencontrerez quelqu'un, les chances étant plus grandes après le mois de mai. Vous pourriez rencontrer votre futur partenaire lors d'un voyage, créant ainsi un lien au fil du temps qui se transformera en une amitié profonde, débouchant éventuellement sur une relation romantique.

Deux éclipses se produiront dans votre secteur amoureux : une éclipse lunaire le 25 mars et une éclipse solaire le 2 octobre. L'éclipse lunaire vous permettra de vous rapprocher des personnes aimées avec lesquelles vous entretenez des liens sains et de vous éloigner des personnes toxiques. C'est peut-être le moment idéal pour régler des problèmes amoureux inachevés.

L'éclipse solaire peut apporter un nouvel amour dans votre vie. Si vous êtes célibataire, vous vous sentirez motivé pour sortir et attirer l'attention, tandis que si vous êtes en couple, l'éclipse ajoutera des étincelles de passion.

En 2024, votre santé financière s'améliorera et vous bénéficierez de nouvelles sources de revenus. Vous pourriez recevoir des revenus supplémentaires provenant de commissions, de la bourse, d'intérêts bancaires ou, peut-être, de la loterie.

Si vous avez rêvé d'acheter une nouvelle maison ou une nouvelle voiture, cela se réalisera cette année, et si vous avez besoin d'un prêt, vous pourrez l'obtenir facilement. Si vous travaillez dur professionnellement, votre compte en banque augmentera.

Il se peut que vous changiez de maison ou que vous effectuiez des travaux autour de la maison, et ce changement peut apporter des problèmes à la famille. La patience est nécessaire pour surmonter ces problèmes et ramener le bonheur dans la vie familiale.

Votre santé restera bonne tout au long de l'année, mais vous pourriez rencontrer quelques problèmes mineurs au milieu de l'année, car vous vous sentirez déprimé et fatigué à cause du stress. Cela peut se manifester par des problèmes digestifs dus à un manque d'appétit et à une agitation causée par des revers.

Amour

Cette année peut être marquée par des hauts et des bas émotionnels. Rappelez-vous qu'il est normal de ressentir des émotions variées et d'avoir des sautes d'humeur de temps à autre. Pour gérer vos émotions, il est important de trouver des moyens sains de le faire, par exemple en parlant à un ami de confiance ou à un membre de votre famille, en pratiquant des techniques de relaxation telles que la méditation ou en demandant l'aide d'un thérapeute en santé mentale si nécessaire. Vous devez prendre soin de vous et demander de l'aide si nécessaire.

Cette année est excellente pour les Gémeaux qui souhaitent établir une relation. Si vous avez pensé à vous fiancer, c'est l'année idéale pour le faire. Vous progresserez dans votre vie amoureuse cette année.

Bien que vous soyez très romantique et rêveur cette année et que vous ayez tendance à idéaliser l'être aimé, vous devez être prudent car vos fantasmes peuvent ne pas correspondre tout à fait à la réalité, ce qui pourrait entraîner des déceptions à l'avenir.

Essayez d'être cohérent, réaliste et d'accepter l'autre personne telle qu'elle est. Cette année, l'amour sera plutôt platonique.

En tout état de cause, cette année sera très propice à la socialisation et aux associations en tout genre.

L'économie

Cette année sera très bonne pour vous dans le domaine économique. Vous atteindrez votre objectif de changer d'emploi et ce nouveau départ vous apportera de nombreuses opportunités.

Votre courage sera admiré par les autres, mais il est important de bien choisir vos combats, car défendre ce en quoi vous croyez peut parfois entraîner des conséquences négatives.

Les planètes vous donnent le feu vert en matière d'argent. Mercure, votre planète maîtresse, vous soutiendra pleinement et veillera à ce que vos comptes bancaires soient bien remplis.

En mai, Jupiter transite votre signe, avec des effets bénéfiques sur les finances et la carrière, ainsi que sur les relations.

Vos ressources financières augmenteront certainement et ce sera une bonne année pour les investissements à long terme.

Bien sûr, cela ne se fera pas sans effort : vous devrez travailler dur, être discipliné et continuer à aller de l'avant tout au long de l'année.

Jupiter sera favorable à l'établissement de nouvelles relations avec des personnes importantes et au renforcement de vos liens sociaux.

Famille

Vous vous impliquerez plus émotionnellement avec ceux que vous considérez comme votre famille. Vous voulez que votre maison soit un sanctuaire, un espace sûr, et vous essayerez d'éliminer les problèmes de manière saine.

Pendant les périodes de rétrogradation de Mercure à la maison, vous risquez de casser des appareils ou d'avoir des problèmes d'eau. Cela peut non seulement être ennuyeux, mais aussi entraîner des conflits familiaux et, très probablement, être votre faute. Soyez patient, car il est très probable que ces appareils aient besoin d'un entretien de routine.

Cette année, de nombreux proches vous demanderont souvent conseil, ce qui vous fera vous sentir indispensable.

Votre famille va connaître des changements sentimentaux. Peut-être vos enfants ou vos frères et sœurs vous présenteront-ils leurs nouveaux partenaires, ce qui donnera une nouvelle dynamique à votre famille. Ces changements seront positifs.

Vous reprendrez contact avec des personnes dont vous vous étiez éloigné, vous leur donnerez une seconde chance et vous vous rendrez compte que tout n'est pas ce qu'on croit.

Santé des Gémeaux

Vous devez fournir un effort conscient pour donner la priorité à votre santé physique, en vous rappelant qu'une bonne santé est un élément essentiel pour réussir dans tous les domaines de votre vie. Vous devez prévoir de perdre du poids et de faire régulièrement de l'exercice, surtout en plein air.

Le mode d'alimentation est important, il faut donc faire attention au régime, augmenter l'apport en protéines et limiter les glucides pour éviter la prise de poids et les problèmes digestifs.

Certains Gémeaux se sentiront probablement fatigués, car leur système immunitaire sera faible. Ils connaîtront des phases de baisse d'énergie, mais la situation s'améliorera et ils retrouveront leur vigueur.

Si vous souffrez de problèmes de santé chroniques, tels que le diabète ou la tension artérielle, vous devez être vigilant tout au long de l'année. N'oubliez pas que le bien-être commence à la maison. Encouragez-vous à éliminer les aliments malsains de votre cuisine et essayez de vous approvisionner en produits biologiques. C'est le bon moment pour commencer à préparer des repas à la maison au lieu d'acheter des aliments transformés. Si vous commencez à manger de cette façon, vous vous sentirez toujours mieux.

Dates importantes

- ***20 mai - Le Soleil entre en Gémeaux***

- ***23 mai - Vénus entre dans les Gémeaux***

- ***Le 25 mai, la planète Jupiter entre dans votre signe****. Une période de grandes actions, de nouvelles perspectives, d'objectifs réalisables s'ouvre.*

- ***03 juin - Mercure entre dans les Gémeaux***

- ***6 juin Nouvelle lune dans votre signe.*** *De nouvelles opportunités se présentent à vous, n'oubliez pas d'en tirer le meilleur parti.*

- ***Le 20 juillet, la planète Mars transite dans votre signe jusqu'au 4 septembre.*** *Mars dans votre signe vous remplira d'énergie et d'enthousiasme afin que vous puissiez réaliser tous vos buts et objectifs. C'est le moment idéal pour prendre un nouveau départ.*

- ***15 décembre Pleine Lune dans votre signe.*** *C'est à ce moment-là que vous obtiendrez les résultats de tout ce que vous avez fait jusqu'à présent.*

Cancer

Le Cancer est un signe d'eau, symbolisé par un Cancer marchant entre la mer et son rivage, une capacité qui se reflète également dans sa capacité à mélanger les états émotionnels et physiques.

L'intuition du Cancer, qui provient de son côté émotionnel, se manifeste de manière tangible et, parce que la sécurité et l'honnêteté sont fondamentales pour ce signe, elle peut sembler un peu froide et distante au début.

Le Cancer révèle peu à peu son esprit doux, ainsi que sa compassion sincère et ses capacités psychiques. Si vous avez la chance de gagner sa confiance, vous découvrirez que, malgré sa timidité initiale, il aime partager.

Pour cet amoureux, le partenaire est vraiment le plus beau des cadeaux et il récompense les relations par sa loyauté indéfectible, sa responsabilité et son soutien émotionnel. Il a tendance à être plutôt casanier et son foyer est un temple personnel, un espace dans lequel il peut exprimer sa personnalité.

Grâce à leurs compétences domestiques, les Cancers sont également de sublimes hôtes. Ne soyez pas surpris si votre partenaire Cancer aime vous flatter avec des plats faits maison, car il n'y a rien qu'il aime plus que la nourriture naturelle.

Les cancers sont également très anxieux à l'égard de leurs amis et de leur famille et aiment jouer un rôle protecteur qui leur permet de nouer des liens passionnés avec leurs compagnons les plus proches.

Mais n'oubliez jamais que lorsque le cancer s'investit émotionnellement dans quelqu'un, il risque de brouiller la frontière entre soins et contrôle.

Le Cancer a également une nature inconstante comme la Lune et une propension à l'instabilité. Le Cancer est le signe le plus grincheux du zodiaque. Leurs partenaires doivent apprendre à apprécier leurs variations émotionnelles et, bien sûr, le Cancer doit aussi contrôler sa sentimentalité.

Leurs habitudes défensives ont un revers et, lorsqu'ils se sentent provoqués, ils n'hésitent pas à se mettre sur la défensive. Les cancers doivent se rappeler que les erreurs et les disputes occasionnelles ne font pas de leur partenaire un ennemi. En outre, ils doivent s'efforcer d'être présents de manière énergique dans leurs relations.

En tant que signe émotionnel et introspectif, il vous est facile de vous renfermer sur vous-même la plupart du temps et si vous n'êtes pas présent dans une relation, la prochaine fois que vous sortirez de votre coquille, votre partenaire ne sera peut-être plus là pour vous.

Le Cancer sait écouter et, lorsqu'il sort de sa coquille, il est une éponge émotionnelle. Le partenaire du Cancer absorbera vos émotions, ce qui peut parfois être un soutien, mais aussi une source d'étouffement.

Il n'est pas facile de savoir si le Cancer vous imite ou s'il est en empathie avec vous, mais comme il est très attaché à son partenaire, cela ne fait aucune différence.

Si le soutien émotionnel du Cancer entrave votre personnalité, il est préférable de le laisser tomber. Ce signe sensible est facilement contesté par les opinions les plus subtiles et, bien qu'il évite les conflits directs en marchant de biais, il peut aussi utiliser ses molaires.

Ce comportement typiquement insouciant et provocateur est prévisible, et il est rare de sortir avec le Cancer sans goûter au moins une fois à sa mauvaise humeur caractéristique.

En raison de la sensibilité des Cancers, il n'est pas facile de se disputer avec eux, mais avec le temps, vous apprendrez quels mots dire et, peut-être plus important encore, lesquels éviter. Soyez conscient de ce qui agace votre partenaire et, avec le temps, il vous sera plus facile d'avoir des dialogues difficiles.

Il est important de savoir comment cette créature magique fonctionne dans le meilleur et dans le pire des cas. En fin de compte, la chose la plus importante à retenir est que le Cancer n'est jamais aussi indifférent qu'il n'y paraît.

La chose la plus difficile à faire avec le Cancer est de briser sa surface dure et rigide. C'est pourquoi la tolérance est essentielle lorsque vous flirtez avec le Cancer. Gardez un rythme lent et régulier et, avec le temps, vous gagnerez la confiance nécessaire pour révéler votre vraie nature.

Bien sûr, ce processus peut être long et compliqué et la moindre erreur peut mettre le Cancer sur la défensive, de sorte que deux pas en avant peuvent se transformer en un pas en arrière. Ne vous découragez pas, il n'y a rien de personnel, c'est juste la physiologie du Cancer.

Le Cancer peut avoir des relations sexuelles occasionnelles, mais ce signe d'eau douce préfère les relations émotionnellement intimes.

Rappelez-vous que le Cancer a besoin de se sentir complètement à l'aise avant de sortir de sa coquille, ce qui est particulièrement important en matière de sexualité. Pour le Cancer, la confiance se nourrit de la proximité physique.

Vous pouvez commencer à cultiver une relation sexuelle avec le Cancer, en l'intégrant petit à petit, en tenant compte de votre rythme et de vos caresses. Cela permettra au Cancer de se sentir plus à l'aise dans la fusion de l'expression émotionnelle et physique, en veillant à ce qu'il se sente protégé avant de commencer à faire l'amour.

Bien que le Cancer soit patient et tende à être extrêmement loyal, car il a besoin de se sentir protégé et compris par son partenaire, il peut rechercher l'intimité avec quelqu'un d'autre s'il a l'impression que ces exigences ne sont pas satisfaites.

Le Cancer peut être très espiègle, donc toute relation secrète sera calculée, et un Cancer perdu rendra nécessaire d'emporter ses pitreries dans la tombe, de prendre des mesures supplémentaires pour empêcher que la rencontre ne soit découverte, et d'enterrer les preuves sur la plage.

En fait, même le cancer le plus loyal aura des secrets, mais cela ne veut pas dire qu'il est mauvais ou méchant.

Tout le monde mérite de garder certaines choses secrètes, et un peu de mystère ajoutera à la relation.

Il n'est pas facile pour les Cancers d'établir une relation sérieuse et engagée et, une fois qu'ils se sentent en sécurité, ils ne veulent pas qu'elle se termine.

Le Cancer a tendance à entretenir des relations même après que les étincelles se sont éteintes parce que, tout simplement, le Cancer a un cœur sentimental. Mais, bien sûr, toutes les relations ne sont pas faites pour durer éternellement.

Ce signe d'eau ne veut pas être vindicatif, mais quand son cœur est brisé, il sait poser des limites.

Supprimer son numéro de téléphone, le bloquer et ne pas le suivre sur les médias sociaux vous permet de vous protéger de la douleur lors d'une rupture. Ainsi, si votre relation avec le Cancer prend fin, attendez-vous à recevoir une liste exhaustive de règles.

Le Cancer peut être idéaliste et ce signe d'eau recherche certainement sa propre transcription d'une histoire d'amour. Cependant, il interagit de manière différente avec chaque signe du zodiaque.

Horoscope du cancer

C'est une année fabuleuse pour les nouveaux départs, les nouvelles activités et les nouveaux projets. Ce que vous commencez maintenant sera au centre des cinq prochaines années de votre vie. Commencez l'année 2024 avec énergie, enthousiasme et excitation.

C'est une année où votre personnalité et votre vie professionnelle sont étroitement liées, et cette interaction est de la plus haute importance.

Vous souhaitez atteindre une certaine notoriété et être admiré pour votre travail personnel. Le succès est plus ou moins probable au cours de cette année, bien que vous puissiez le considérer comme insuffisant en raison de votre forte ambition.

Votre présence sera évidente dans le cercle dans lequel vous opérez, même si d'autres exigeront de vous des responsabilités.

En général, cette saison promet la réussite professionnelle et vous trouverez toujours les crédits et la protection dont vous avez besoin pour l'obtenir.

Vos affaires ou vos activités professionnelles seront sous les feux de la rampe. Les relations avec les personnes en position d'autorité et avec vos parents joueront également un rôle important, bien qu'il puisse y avoir un problème sérieux à résoudre.

Vous devez développer une certaine prudence à l'égard d'éventuels conflits dans la sphère professionnelle.

Cependant, c'est un bon moment pour vous concentrer sur vos objectifs et améliorer l'image que vous projetez à l'extérieur.

C'est une année où vous recherchez constamment de nouvelles expériences, mais votre soif d'action et de changement cache probablement une crainte de nouer des liens durables.

Vous aurez du mal à reconnaître le côté féminin de votre nature et à accepter la responsabilité du bien-être de quelqu'un d'autre. Vous éviterez les engagements au cours de cette année, car vous ne voulez pas vous sentir émotionnellement attaché.

Les autres admireront votre esprit d'entreprise et apprécieront le fait que vous ne fuyez pas les responsabilités, en particulier lorsque l'une de vos actions risquées ne fonctionne pas.

C'est une année au cours de laquelle vous deviendrez un combattant qui n'abandonne pas facilement et qui, si nécessaire, fera cavalier seul.

Votre côté affectif sera plus sensible que d'habitude et débordera de tendresse envers tous ceux qui vous entourent. En particulier, vos enfants (si vous en avez) bénéficieront de votre prédisposition particulière à les écouter et à être plus réceptif à leurs besoins, ainsi que plus aimant et plus compréhensif.

Comme vous appréciez plus que jamais le beau côté de la vie, vous pouvez utiliser cette disposition pour l'expression créative, les événements sociaux et les activités professionnelles. En outre, il est probable que vous entamiez une relation amoureuse ou que vous modifiiez votre relation actuelle en termes de forme et de sentiment.

Vous pouvez vous rendre plus souvent dans vos lieux de divertissement habituels.

Un membre de la famille peut également fournir un revenu ou un soutien financier.

Sur le plan de la santé, ce sera une période très propice aux rhumes et aux irritations ; il ne serait pas inutile de surveiller les voies respiratoires et les reins.

Pendant les périodes de rétrogradation de Mercure, réfléchissez aux choses ou aux personnes auxquelles vous voulez donner une seconde chance, plutôt que de commencer quelque chose de nouveau. S'il s'agit de quelque chose de nouveau, vous devrez peut-être le faire d'une manière non conventionnelle.

Vous rencontrerez des personnes d'orientation spirituelle qui façonneront votre personnalité. C'est une bonne période pour votre éveil spirituel.

Si vous n'avez pas de partenaire, rappelez-vous que les occasions ne se répètent pas. Si quelqu'un vous intéresse, vous devez l'aborder et lui dire ce que vous ressentez sans y réfléchir à deux fois. Ce petit acte de courage fera toute la différence, le début d'une histoire d'amour.

Amour

Ce thème pourrait être très présent en 2024. Toutes les belles choses que vous désirez en amour pourraient être possibles après le mois de mai.

Une désintoxication planétaire est en cours dans votre vie amoureuse et dans votre vie en général. Cela n'a pas été une expérience agréable. Toutes les expériences amoureuses que vous avez vécues sont de nature détoxifiante.

Cette année, vous ferez un pas en avant dans votre vie amoureuse et donnerez une nouvelle force à votre relation. Votre relation sera plus forte qu'auparavant et la confiance mutuelle entre vous deux augmentera.

Au cours de cette année, vous comprendrez les sentiments de votre partenaire et accorderez de l'importance à ses opinions. N'essayez pas d'imposer vos idées, sinon des tensions pourraient survenir dans votre vie amoureuse.

Vous devrez peut-être faire face à des ragots inutiles, alors soyez très discret sur votre vie privée.

Il y aura des moments où vous voudrez rompre avec votre partenaire. Cela peut être contrôlé ou évité si vous vous occupez des choses importantes dans votre vie amoureuse.

Les célibataires auront de nombreuses occasions de nouer des relations amoureuses au cours des trois premiers mois de l'année. Au cours du deuxième trimestre, les relations seront éphémères.

Vous arrivez progressivement au terme d'une lente transformation. Vous devez continuer à avancer lentement mais sûrement. Vous devez agir plus sérieusement dans vos relations, ce qui ne veut pas dire que vous devez mettre le plaisir de côté.

Vous devez faire plus d'efforts dans votre relation, car vous vivez pratiquement une vie de célibataire, tout en bénéficiant des avantages d'un couple. Vous devez apprendre à prendre des décisions avec votre partenaire.

À partir du mois de mars, vous pouvez vous sentir un peu inquiet, mais il n'y a rien qui ne puisse être résolu par une escapade en famille.

Pendant les périodes de Pleine Lune, vous prendrez l'amour plus au sérieux et tenterez de vous rapprocher des personnes avec lesquelles vous avez un lien fort.

Vous vivrez quelques mois d'incertitude. Vous commencerez une relation qui, au début, ne sera basée que sur le sexe, puis vous vous impliquerez émotionnellement et vous avouerez que vous tombez amoureux.

Au cours de cette année, vos relations personnelles sont au centre de l'attention. Vous avez besoin d'entrer en contact avec les gens et vous vous préoccupez de l'impression qu'ils ont de vous. C'est le moment d'examiner votre comportement envers les autres, en particulier votre partenaire, et d'envisager d'éventuels ajustements et corrections.

Plus que jamais, vous pouvez réaliser que vous avez besoin de la coopération des autres pour atteindre vos objectifs et que le meilleur moyen de donner un sens à votre vie, à votre individualité et à votre pouvoir réside dans les partenariats et les relations.

La participation à des activités communes soulève des questions qui vous permettront de mieux définir qui vous êtes.

Votre identité sera façonnée et cimentée par les hauts et les bas et les complications que vous rencontrerez en tentant d'établir des partenariats vitaux et sincères.

L'économie

Cette année apporte beaucoup d'énergie positive dans les négociations que vous menez, en particulier dans les situations où vous devez discuter de questions importantes.

Il se peut que vous occupiez un nouveau poste qui vous permette de mettre en valeur votre talent. Si vous avez une présence sur les médias sociaux, veillez à la mettre à jour.

Ne perdez pas de temps et planifiez l'avenir. Si vous avez votre propre entreprise, il est temps de sortir de la routine.

Si vous êtes au chômage et à la recherche d'un emploi, la chance vous sourira, surtout si vous avez de l'expérience ou des compétences spécifiques.

L'activité indépendante vous permet de gagner beaucoup d'argent, ce qui pourrait vous être bénéfique à l'avenir. Si vous êtes indépendant, vous obtiendrez également des résultats spectaculaires.

Au cours de l'année, vous rencontrerez quelques difficultés financières, mais seulement mineures. Ceux qui souhaitent exploiter davantage leurs talents pourront le faire. Si vous n'avez pas besoin de dépenser beaucoup, ne le faites pas, et il ne sera pas opportun de contracter un prêt. Vous devez commencer à épargner beaucoup plus, car c'est une année difficile.

L'art de gagner de l'argent consiste avant tout à saisir les opportunités. Vous devez cesser toute activité dénuée de sens, non planifiée et non ordonnée et planifier une meilleure stratégie pour gagner de l'argent. Si vous ne définissez pas vos objectifs, vous ne réussirez pas.

Au cours de l'année 2023, vous avez appris de nombreuses leçons en matière de finances. Cette année, grâce à ces connaissances, lorsque vous devrez prendre une décision, vous mettrez de côté l'impulsivité et aurez recours à la patience et à la tolérance. Toutes les transactions commerciales seront profitables.

Vous recevrez des offres qui vous permettront de choisir entre plusieurs options avantageuses pour évoluer dans votre domaine professionnel. Vous devez analyser soigneusement tous les détails afin que votre décision finale soit celle qui vous sera la plus profitable.

Ne laissez pas vos erreurs s'accumuler sans être remarquées à cause de votre passivité excessive, car si cela se produit, la situation pourrait devenir critique.

C'est l'année où il faut se réveiller et agir. Toutes les décisions que vous devez prendre sont à votre portée.

Vous avez la possibilité de changer votre avenir, laissez libre cours à votre imagination. Vous devriez commencer à concevoir des projets qui peuvent générer des revenus supplémentaires et une nouvelle façon de travailler.

Les périodes rétrogrades de Mercure auront un impact sur votre domaine professionnel. Cela peut signifier que si vous n'aimez pas ce que vous faites, vous changerez de métier. Le moment où vous ressentirez le plus cette énergie est celui où l'éclipse solaire du 8 avril se produira dans votre sphère professionnelle.

Famille

Il s'agit d'un domaine important pour vous. En général, il indique un déménagement vers une maison plus grande et plus spacieuse ou la rénovation de celle que vous possédez.

Une grossesse ne serait pas une surprise, surtout si vous essayez.

Votre compassion naturelle se manifestera par des actions destinées aux personnes de votre entourage qui se sont égarées et qui ont besoin d'aide.

Dans une position plus sympathique, vous vous efforcerez de remplir votre rôle familial, mais vous le ferez sans juger, avec un esprit plus ouvert, ce qui amènera vos proches à vous admirer et à vous demander votre avis pour résoudre les problèmes familiaux.

Au milieu de l'année, votre énergie vitale et votre volonté semblent être en conflit avec votre côté émotionnel, et vous pouvez avoir l'impression que les circonstances sont contre vous, car vous ressentez un manque de soutien et d'affection de la part de votre entourage. Vous pouvez également avoir des échanges tendus avec un être cher. Mais ne vous inquiétez pas, cela passera rapidement sans conséquences importantes. La patience et la souplesse vous aideront.

Cancer Santé

N'oubliez pas que le problème de santé le plus fréquent en début d'année est le stress. Le fait de devoir faire face à toutes les dettes que nous avons contractées en raison des dépenses de fin d'année peut être accablant. C'est pourquoi il est important d'être réaliste et patient.

C'est le moment idéal pour essayer des choses comme la méditation et l'amélioration de la qualité du sommeil, qui apporteront de nombreux avantages à votre santé mentale.

N'oubliez pas de penser positivement et d'être optimiste, car les émotions positives améliorent le flux d'énergie.

Vous risquez de souffrir d'allergies cette année. Veillez à modifier sainement votre régime alimentaire. Vous devriez compléter votre alimentation par des suppléments ou des vitamines pour renforcer votre système immunitaire.

En général, les problèmes de santé peuvent être liés aux nerfs, à une inquiétude excessive et à un manque de repos.

Vous pourriez ressentir le besoin de mettre de l'ordre dans vos habitudes et de devenir plus sérieux. Profitez de cette année pour faire quelque chose pour votre santé en pratiquant du sport, en mangeant sainement et en effectuant des exercices de yoga.

Dates importantes

- ***17/06 Vénus entre en Cancer.*** *Pendant ce transit, votre désir de sécurité et de stabilité émotionnelle augmente. Vous pouvez exprimer votre amour et votre affection par des actes de gentillesse, en recherchant le confort dans des environnements sûrs. C'est le moment de renforcer les liens dans les relations existantes et d'explorer les expériences émotionnelles partagées.*

- ***17/06 Mercure entre en Cancer.*** *Ce transit indique des changements inattendus au travail. On vous demandera de prendre des mesures pratiques pour progresser personnellement, pour équilibrer vos revenus et pour maintenir la fluidité de vos relations personnelles.*

  Votre domaine professionnel fluctuera avec des effets négatifs, car vous ne pourrez pas profiter de toutes les opportunités en raison d'un changement soudain d'emploi.

- ***06/20 Le Soleil entre dans le Cancer***

- ***05/07 Nouvelle Lune en Cancer.*** *Les nouvelles lunes sont traditionnellement des périodes de nouveaux départs. Ce qui commence peut-être au centre des six prochains mois de votre vie.*

- ***Du 4/9 au 3/11, Mars transite en Cancer.*** *La planète Mars dans votre signe apporte généralement beaucoup d'énergie et d'élan pour de nouveaux commencements et projets. Cela peut vous aider à vous lancer dans un nouveau projet que vous entreprendrez au cours des deux prochaines années de votre vie.*

Lion

Symbolisé par le lion, ce signe ne se laisse pas oublier. Si son caractère est joyeux, il a aussi une dureté féroce qui accompagne ses hurlements.

Tout ce que fait le Lion est tragique et lorsqu'il se met en colère, il vaut mieux ne pas se mettre en travers de son chemin. C'est un signe fixe, très ferme dans ses idées, constant dans ses objectifs et obstiné dans ses actions.

Le Lion est un complice assidu qui met du cœur à l'ouvrage dans chaque relation. Bien sûr, il peut aussi être incroyablement intransigeant, mais son entêtement est toujours le reflet de son honnêteté.

Le Lion est inspiré par le drame, mais il est aussi profondément sensible. Le Lion est sans doute le plus émotif de tous les signes de feu et se blesse facilement ; votre partenaire devra donc savoir prendre soin de ce tendre spécimen.

La loyauté est très importante pour le Lion, aussi lorsque vous entrez dans son domaine, il exigera de vous un amour absolu.

Lorsque ce signe se sent blessé, il est préférable de ne pas lui prodiguer de conseils : le Lion cherche un soulagement, pas des rappels, et vous vous sentirez donc trahi par votre partenaire si vous commencez à donner votre avis sur n'importe quelle situation.

Le Lion vous poussera à bout parce qu'il aime être testé, il sait depuis l'enfance qu'il est un roi zodiacal, et même le Lion le plus prudent aura une attitude royale.

Ce signe ne se lasse pas de recevoir des applaudissements. Les dîners opulents, les fêtes exclusives et les vêtements de marque leur donnent l'impression d'être aimés.
Lorsque vous le cherchez, gardez à l'esprit qu'il n'est pas facile de suivre la rime. Il est parfois difficile de trouver un signe aussi strict. Mais le jeu en vaut la chandelle.

Une fois que vous aurez réservé une place dans le cœur d'un Lion, vous ne voudrez certainement pas céder le trône. Le Lion ne se soucie pas que son partenaire ait un ego ; au contraire, il veut que son partenaire soit vaniteux et très sûr de lui.

Le Lion ne recherche pas un homme égocentrique, mais cette créature intrépide doit veiller à ce que son partenaire puisse porter la couronne avec dignité.

Le Lion apprécie le concept d'un partenaire comme une extension de lui-même. Comme ce signe de feu est connu pour son intrépidité dans tous les domaines, depuis les aventures créatives jusqu'à la romance à l'Hollywoodienne, il est important qu'il s'associe à quelqu'un qui sait exactement ce qu'il recherche.

En matière de sexualité, l'ardent Lion peut aussi briller au lit.

La plus grande excitation sexuelle du lion est de se sentir désirable. Il est envoûté par la séduction et l'affection doit se manifester par des rencontres ostentatoires et des expressions romantiques grandioses.

Ce signe hurle à l'idée d'être désiré, surtout lorsque ce désir ardent se traduit par un amour passionné.

Ce lion fougueux tombe toujours amoureux, il aime que ses amours soient à la hauteur de sa personnalité et rien ne le fait hurler plus fort qu'une adoration éhontée.

Ils ont besoin d'être au centre de l'attention et peuvent donc être séduits par des histoires d'amour dangereuses.
Il n'est pas facile pour Leo de résister aux compliments, il gravite donc autour des louanges.

Si le drame se termine prématurément et que le Lion est abandonné, l'histoire est différente. Au début, leur réaction est généralement un choc et, après cette étape, ils éprouvent une angoisse dévastatrice, témoignant de leur désarroi.

Même si les choses deviennent sérieuses, le lion est une créature invulnérable qui retrouvera le chemin de la lumière, car le lion est joyeux et sans peur, et refuse d'accepter l'échec.
Le Lion est toujours à la recherche d'un partenaire qui stimulera son esprit car, au fond de lui, il déteste l'ennui.

Horoscope général pour Lion

2024 apporte des énergies de seconde chance pour les léonins, alors réfléchissez à ce que cela pourrait signifier pour vous.

Il pourrait y avoir de grands changements dans vos relations, dans la façon dont vous les abordez et les gérez, dans les personnes que vous attirez et dans ce que vous voulez et ce dont vous avez besoin dans vos relations personnelles.

Les éclipses lunaires vous amènent à vous concentrer sur ce que vous devez transformer pour améliorer vos relations. Il se peut que vous deviez faire face à quelque chose que vous avez fui pendant un certain temps, ce qui peut être bouleversant, mais en fin de compte, cela vous aidera à aller de l'avant.

Vous pouvez vous sentir plus ambitieux et aspirer au succès. Vous atteindrez un type de succès prévu depuis des années.

Vous vous sentirez enthousiaste dans votre travail et si vous n'êtes pas passionné, vous pouvez vous concentrer sur la recherche d'un nouvel emploi cette année.

Les nouvelles lunes vous donneront l'occasion de chercher un nouvel emploi, si c'est ce que vous voulez, et vous pourrez commencer de nouveaux projets et vous concentrer sur ce qui vous passionne.

Il se peut que vous deviez procéder à des changements importants, mais vous devez le faire intelligemment. Si vous aimez ce que vous faites, vous pouvez faire de grands progrès et réussir. Des opportunités peuvent se présenter qui vous aideront à investir et vous trouverez des moyens créatifs pour vous sentir plus en sécurité dans la façon dont vous investissez votre argent.

Vous devez protéger votre santé, n'essayez pas de tout faire en même temps. Traitez les problèmes au fur et à mesure qu'ils se présentent.

Les périodes où les défis sont les plus importants sont le début de l'année et les mois d'été.

Amour

Pluton se trouve dans votre zone d'amour depuis plus d'une décennie ; par conséquent, vous êtes devenu plus sérieux et plus intense à propos de l'amour et vous le prenez beaucoup plus au sérieux. Ce qu'est l'amour et ce qu'il signifie pour vous a subi une transformation, mais vous vous sentez maintenant plus en phase avec ce qui est vrai pour vous. Vous savez ce que vous voulez et ce dont vous avez besoin dans une relation et, si vous êtes engagé, vous êtes prêt à le donner.

Pendant les périodes de rétrogradation de Mercure, les problèmes dans les relations amoureuses augmenteront, ce qui peut vous faire sentir frustré et impatient avec les autres, mais vous devez travailler sur tous ces problèmes et vous améliorer.

Cette année pourrait être une bonne période pour raviver les flammes d'une relation existante ou pour renouer avec un ancien amour, d'autant plus que les nouvelles lunes peuvent en offrir l'occasion. Dans tous les cas, vous devriez essayer de cultiver vos liens avec les autres et de leur apporter votre soutien.

Saturne et Neptune seront dans votre secteur de l'intimité tout au long de l'année, il est donc important que vous ayez un lien spirituel avec vos proches. Vous ferez preuve de plus d'assurance et de réalisme dans la gestion de vos liens affectifs avec les autres.

Vous pouvez vous concentrer sur les anciens problèmes et traumatismes qui ont entravé ces liens de manière saine et tirer des leçons du passé qui vous aideront à nouer de meilleurs liens à l'avenir.

Pour certains Lion, l'amour peut conduire au mariage. Si vous êtes un Lion célibataire, préparez-vous à trouver le grand amour. Mais attention, vous ne devez pas faire confiance à tout le monde, car certains pourraient essayer de profiter de votre gentillesse.

Les Léonard mariés verront le bonheur et l'épanouissement de leur famille. Pour rendre votre partenaire heureux, concentrez-vous sur son bien-être. Cette année, vous ferez d'incroyables souvenirs avec votre partenaire. Votre amour se renforcera et atteindra de nouveaux horizons.

Des malentendus peuvent survenir de temps à autre. Dans les moments difficiles, il est donc important de faire preuve de patience. N'oubliez pas de respecter les décisions de votre partenaire et de ne pas lui imposer vos opinions. Avec de la patience, vous parviendrez à maintenir une relation forte et heureuse.

Certaines Léonines pourraient redécouvrir un amour du passé, alors gardez le cœur ouvert. Vous pouvez dissiper de vieux malentendus et profiter de l'amour.

Vous profiterez de chaque instant et vos relations familiales seront renforcées par l'amour et la compréhension.

L'économie

Uranus rejoint Jupiter jusqu'au 25 mai dans votre secteur monétaire. Cette combinaison est fabuleuse pour faire des découvertes soudaines et connaître le succès d'une manière rapide, inattendue et non conventionnelle. Vous serez en mesure d'aborder vos objectifs et vos projets à long terme d'une nouvelle manière, ce qui vous ouvrira d'autres portes.

L'année 2024 sera un mélange de gains et de pertes. Votre travail acharné vous rapportera de l'argent, mais des problèmes familiaux ou autres entraîneront une instabilité financière. Essayez d'épargner pour faire face aux situations difficiles. Des dépenses judicieuses peuvent vous éviter quelques maux de tête.

Le premier semestre sera un mélange de bons et de mauvais moments, car les dépenses augmenteront, mais vous gagnerez aussi plus d'argent. Si vous ne contrôlez pas vos dépenses, vous risquez d'avoir des problèmes financiers.

Cependant, grâce à Jupiter, si vous vous y mettez, vous pourrez économiser de l'argent car les ressources proviendront de diverses sources et vous pourrez acheter une maison si c'est ce que vous voulez.

Si vous n'avez pas d'assurance maladie, le coût des soins de santé peut avoir une incidence sur vos finances. C'est pourquoi vous devez maîtriser vos dépenses et gérer intelligemment votre argent. N'oubliez pas de prendre des décisions financières raisonnables.

Famille

Vous vous concentrerez sur les questions domestiques et familiales. Vous travaillerez à l'achèvement de projets à la maison, ce qui vous aidera à vous sentir plus à l'aise, plus stable et plus sûr sur le plan émotionnel.

Pendant les périodes de pleine lune, des problèmes familiaux peuvent survenir, qu'il est important d'aborder et de résoudre.

L'environnement familial sera généralement très calme et harmonieux cette année. Les problèmes qui surviennent seront résolus à l'amiable. Les membres adultes de la famille pourraient avoir des problèmes de santé nécessitant des soins médicaux.

Les engagements professionnels peuvent vous éloigner de la famille, mais les célébrations et l'arrivée de nouveaux membres ne manqueront pas.

Des désaccords occasionnels peuvent survenir avec votre partenaire en raison de désaccords familiaux. Soyez très prudent dans vos relations avec vos frères et sœurs, car ils pourraient avoir des problèmes juridiques liés à des héritages ou à des legs. N'agissez pas de manière irréfléchie.

Si vous étiez célibataire, vous pourriez peut-être établir une relation stable, mais en général, il existe de nombreuses possibilités d'améliorer vos relations amoureuses.

La santé du lion

Cette année, vous jouirez d'une excellente santé. Vous vous sentirez énergique, heureux et fort, à la fois dans votre corps, votre esprit et votre âme. Il est important d'être fort mentalement et, heureusement, vous commencerez l'année avec un état d'esprit solide.

Se sentir en bonne santé vous aidera à réussir dans votre travail.

Vous serez en bonne santé et ne souffrirez pas de maladies. Si vous avez des problèmes de santé chroniques, c'est peut-être l'année où vous pourrez les surmonter.

Pour rester en bonne santé, essayez d'intégrer la méditation et l'exercice physique à votre routine quotidienne. N'oubliez pas qu'il est essentiel de garder l'esprit calme et sans stress pour rester en bonne santé.

Le repos est important pour la santé, il faut boire beaucoup d'eau et s'exposer au soleil pour obtenir de la vitamine D.

Les lions adultes peuvent ressentir des douleurs dans les genoux ou les articulations, en particulier pendant l'hiver.

Changez vos habitudes alimentaires pour améliorer votre santé. Méfiez-vous des accidents et des blessures, en particulier lorsque vous conduisez ou que vous pratiquez du sport.

Dates importantes

25 mars - *Éclipse lunaire en Lion (pleine lune)*

Cette éclipse mettra fin aux attitudes qui vous blessent. Vous devriez essayer de fixer des limites aux personnes qui croisent votre chemin. Vous pouvez mettre fin à une relation toxique, et c'est mieux ainsi.

2 juillet - *Mercure entre dans le Lion.*

***11 juillet** - Vénus entre dans le Lion. Ce transit aura un impact sur vos relations amoureuses et sur la façon dont vous vous comportez avec les autres. Vous pourriez également devenir plus dramatique et exigeant dans vos relations, alors soyez très prudent.*

***22 juillet -** Le Soleil entre dans le Lion. Heureux retour du Soleil.*

08/04/2024 Nouvelle Lune en Lion. *Pendant cette période, vous serez enthousiaste, énergique et prêt à agir. Des opportunités peuvent se présenter. Vous devez prendre l'initiative, aller chercher ce que vous voulez et faire bouger les choses. Cette Nouvelle Lune précède de quelques jours la rétrogradation de Mercure dans votre signe ; il se peut donc que vous vous concentriez davantage sur une deuxième occasion.*

Du 14/08/2024 au 28/08/2024, Mercure rétrograde en Lion *(après avoir commencé en Vierge). Cela peut entraîner de nombreux malentendus, un manque de concentration et le sentiment que de petites choses surgissent toujours et demandent votre attention. Vous pouvez vous sentir dispersé, anxieux et stressé. Essayez d'adopter des stratégies saines de gestion du* *stress avant le début de la rétrogradation afin de pouvoir le gérer facilement.*

4 novembre - *Mars entre dans le Lion. Mars dans votre signe est traditionnellement une période de grande énergie et d'enthousiasme pour les nouveaux départs et les affaires. Vous serez enthousiaste face aux opportunités qui se présenteront à vous. Profitez de cette période car Mars sera rétrograde à partir du 6 décembre dans votre signe et terminera l'année rétrograde en Lion. Cela peut amplifier vos frustrations et vos contrariétés, ce qui peut facilement vous irriter et vous mettre en colère. Il peut en résulter des incidents mineurs.*

18 novembre 19- *Pluie de météores des Léonides dans le Lion. Les météores représentent des moments de transition. C'est une excellente occasion de montrer au monde comment vous voulez être perçu. Vous pourriez planifier un voyage ou raviver d'anciennes amitiés.*

Vierge

La Vierge est un signe de terre représenté par la déesse de l'agriculture. La Vierge est habile et méthodique, méticuleuse et cherche à se perfectionner, ce qui en fait l'un des meilleurs partenaires du zodiaque. La Vierge est un érudit et les mots et idées inspirants sont aphrodisiaques pour ce signe de terre.

La Vierge a tendance à être une lectrice vorace, une cinéphile ou une mélomane. Signe changeant, elle est également ouverte d'esprit, ce qui se traduit souvent par des goûts raffinés.

La Vierge apprécie l'art dans de nombreuses catégories et aime se tenir au courant des nouveaux auteurs. La Vierge s'appuie sur la logique et l'organisation lorsqu'il s'agit d'affaires de cœur, et ce signe capricieux recherche un partenaire qui s'adapte à sa vie quotidienne.

La Vierge utilise une base de données pour créer une représentation complète de son partenaire ; toutes les personnes de sa vie et leurs habitudes sont accumulées dans un registre mental, avec leurs goûts et leurs dégoûts. La Vierge aime aider par son soutien et son sens pratique, et ce signe de terre s'obstine toujours à proposer des solutions réalistes aux conflits.

Le désir d'excellence de la Vierge peut affecter ceux qui l'entourent, et leurs analyses vont de la réflexion et de la subtilité à l'excès de critique.

Pour maintenir des relations saines, les Vierges ne doivent pas juger et doivent permettre à leurs proches de se remettre à leur place.

Une chose très importante que les Vierges doivent garder à l'esprit est que la recherche constante de la perfection peut être destructrice.

En matière de sexualité, ce signe a une énergie vive, mais il est naïf. Dirigée par Mercure, leur sexualité est de nature curieuse ; ils analysent presque tous les aspects du sexe, y compris le physique de leur partenaire.

Il y a toujours de la beauté dans les défauts, il est donc important que la Vierge reconnaisse que ce qui est un défaut peut être plus utile qu'un défaut.

Ce signe intellectuel est très enthousiaste à l'égard de l'humour et des conversations intelligentes. En théorie, la Vierge ferait un fantastique romancier, mais si votre amant n'est pas Nicholas Sparks ou Corin Tellado, il risque de le montrer sous une forme abrégée. La Vierge n'est pas Nicholas Sparks ou

Corin Tellado, il est probable qu'elle le montrera sous une forme abrégée.

Ne soyez pas surpris si votre amant. La Vierge est plutôt fermée dans la chambre à coucher, du moins au début.

La Vierge est une personne routinière ; tant qu'elle n'est pas capable de développer un dialogue, elle sera un spectateur affectueux et très attentif à ce qui se passe au lit.

Cela ne veut pas dire qu'elle n'est pas dépravée ; au contraire, la Vierge aime être passionnée dans la chambre à coucher. Dans un environnement sûr, la Vierge voudra avoir des relations sexuelles régulières qui lui permettent d'explorer tous ses penchants. Mais ne tentez rien brusquement : les changements soudains de mouvements ou de rôles vous désorienteraient.

La Vierge aime se rendre utile et utiliser ses compétences chaque fois qu'elle le peut ; elle a donc tendance à être une éponge pour les problèmes des autres. La meilleure façon de lutter contre cela est de garder les choses simples.

Bien que votre partenaire Vierge soit passionné, n'en faites pas le chien de garde de toutes vos mésaventures. Si vous déversez tout votre stress sur la

Vierge, elle se sentira dépassée. Envisagez de vous tourner vers des amis pour résoudre vos frustrations.

Pour avoir une relation durable avec une Vierge, il est important de savoir qu'elle sera fiable, mais qu'elle devra aussi vous faire confiance, surtout lorsque vous avez tort.

Ne critiquez pas la Vierge, cela peut paraître ironique, mais la Vierge déteste être pointée du doigt pour son comportement. Cela l'incitera à vous demander de l'aide, ce qui renforcera la relation.

Comme la Vierge s'efforce d'atteindre un idéal impossible en amour, lorsque l'utopie de la perfection se dissout, la Vierge abandonne complètement la relation, sans en informer le partenaire.

Elles ne veulent pas être indécentes, mais elles détestent décevoir les gens et voudront donc quitter la relation sans avoir une discussion difficile. En d'autres termes, les Vierges aiment disparaître sans laisser de traces.

Si vous parvenez à contacter votre partenaire vierge avant qu'elle ne se jette dans d'autres bras, elle s'excusera et tentera d'apaiser les tensions en prenant tout le fardeau à sa charge.

Lorsque la rupture survient par surprise, la personne s'efforce d'oublier, en retravaillant mentalement tous les détails de la relation pour tenter de découvrir le moment clé où les choses ont pris un virage à 180 degrés.

La Vierge n'est pas toujours noire ou blanche, au contraire, c'est une créature très complexe et si elle trouve suffisamment d'informations pour conclure que sa relation actuelle est défectueuse, elle est prête à chercher ailleurs une relation satisfaisante.

Horoscope général pour Vierge

Vierge, cette année sera riche en opportunités dans tous les domaines de votre vie. Bien sûr, vous devrez aussi relever des défis qui peuvent influencer de manière significative votre carrière et vos relations.

Il est conseillé de poursuivre vos objectifs et de maintenir un équilibre en toutes choses, car vous devrez probablement reporter certains projets. Certains revers peuvent survenir en raison de votre manque d'énergie ; il convient donc de contrôler vos émotions et d'éliminer les pensées négatives.

Si vous vous concentrez, vous pouvez résoudre tous vos problèmes en douceur et réussir. Pour cela, vous devez éliminer l'indécision et vous libérer des visions dépassées.

A certaines périodes de l'année, vous serez obligé de recourir à des astuces diplomatiques pour éviter les conflits avec les autres, surtout dans le milieu professionnel.

Les vacances seront très utiles pour les couples, car elles leur rappelleront les premiers moments de leur relation. Les couples ne doivent pas oublier de trouver le temps de communiquer.

Pour les célibataires, tout est possible : un coup de foudre passager pour une personne rencontrée sur les médias sociaux, une relation sérieuse avec un collègue de travail ou une rencontre amoureuse avec une personne rencontrée sur un marché.

Vous aurez quelques problèmes familiaux, mais ils seront tous résolus avec succès.

Au travail, vous devez essayer de proposer vos propres solutions aux problèmes et accepter toute responsabilité supplémentaire.

Les finances seront stables, bien qu'à certains moments, surtout au milieu de l'année, il est probable qu'il y ait des baisses de revenus ou des retards de paiement. Dans ces phases, il est conseillé de refuser des prêts et de ne pas prêter d'argent.

Lors d'un investissement, il est bon d'écouter les conseils de personnes plus expérimentées que vous.

Votre famille sabotera votre économie, vous devez donc être très organisé avec vos finances. Il est important de faire la paix avec vos proches, car vous pourriez avoir besoin de leur aide à des moments inattendus.

Votre état de santé général sera bon, mais vous devrez vous prémunir contre les maladies infectieuses et les épidémies. N'oubliez pas de consulter votre médecin pour éviter d'éventuelles maladies chroniques.

Il faut veiller à protéger la peau et les yeux des effets nocifs des ordinateurs et des téléphones portables.

Certains mois, des symptômes d'épuisement émotionnel ou de dépression peuvent apparaître et le moyen de les contrer est d'être plus souvent dans la nature. En outre, l'exercice physique et la méditation auront un effet bénéfique sur votre santé.

En général, l'année sera prospère, malgré tous les changements et les événements imprévisibles. Il faut éviter les actions impulsives, faire preuve de patience dans les situations d'incertitude et, surtout, profiter des circonstances favorables.

Il est important de suivre son intuition, surtout dans les relations. Prenez vos propres décisions, mais ne soyez pas non plus pressé, car vous pourriez vous tromper.

Amour

En 2024, vous aurez l'occasion d'ouvrir votre cœur et de faire entrer un nouvel amour dans votre vie, car vous vous sentirez plus optimiste à l'égard de l'amour. Ce pourrait être une bonne année pour la romance, que vous soyez célibataire ou marié.

Vous recevrez de nombreuses leçons d'amour, rappelez-vous combien vous donnez et combien vous recevez.

Au milieu de l'année, les luttes et les problèmes peuvent devenir très évidents. Il est important de résoudre les problèmes et d'avoir un amour sain et encourageant dans votre vie. Vous aurez le temps de résoudre les problèmes, surtout pendant la période de la nouvelle lune.

Pendant les périodes de rétrogradation de Mercure, de vieilles blessures peuvent se mettre en travers de votre vie et il est important de les régler.

Votre vie amoureuse et votre mariage nécessiteront des efforts et un engagement constants. Avec l'aide des astres, vous parviendrez à un bon équilibre entre émotion et romantisme. Certaines Vierges prendront au cours de l'année des décisions importantes qui changeront leur vie sur le plan amoureux ou conjugal.

L'économie

Cette année, vous serez en mesure de réaliser vos projets à long terme et votre travail acharné et intelligent portera ses fruits. Vous obtiendrez une certaine reconnaissance et nouerez des contacts avec des personnes importantes. Cela peut impliquer davantage de responsabilités, mais vous êtes capable de les assumer.

Pendant les périodes de Nouvelle Lune, des opportunités peuvent se présenter et vous aurez beaucoup de succès. Vous devez être enthousiaste à propos de vos objectifs et vous concentrer sur ce que vous voulez réaliser.

Vous aurez beaucoup d'énergie pour réussir, car vous serez plus ambitieux et plus concentré. C'est en effet une excellente année pour le succès, alors commencez à travailler sur vos plans et soyez intelligent dans vos choix afin de ne pas manquer une seule opportunité.

Concentrez-vous sur ce qui vous passionne, rassemblez les informations nécessaires et faites-le de la bonne manière et pour les bonnes raisons.

Pendant les périodes de pleine lune, vous atteindrez de nouveaux sommets et maintiendrez votre élan. Vous devriez vous sentir à l'aise avec le chemin que vous avez parcouru en si peu de temps et vous rappeler que vous le méritez après tous les efforts et les épreuves auxquels vous avez dû faire face.

Si vous n'aimez pas votre travail, vous pouvez en changer. Vous devez essayer de vous concentrer sur le travail que vous aimez, afin de pouvoir vous lancer en toute confiance vers de nouveaux horizons.

Vous recevrez des récompenses financières ou de nouvelles ressources qui vous faciliteront la vie.

Les éclipses lunaires peuvent aider à résoudre des problèmes financiers, à finaliser des accords financiers et à se libérer de vieux schémas financiers.

Si vous avez des traumatismes liés à l'argent, il est temps de comprendre et de vous débarrasser de toute cette énergie pour aller de l'avant. L'argent ne rend pas les gens mauvais, ce sont les gens qui rendent l'argent mauvais.

Les éclipses solaires vous apportent de grandes opportunités financières et vous n'aurez pas de problèmes d'argent. Vous avez de bonnes chances de réussir professionnellement et de connaître l'abondance matérielle.

Votre travail acharné et vos performances constantes au cours des derniers mois de 2023 porteront leurs fruits en 2024. N'oubliez pas de vous tenir au courant des technologies qui contribueront à votre croissance.

Prévoyez d'investir dans l'immobilier lorsque vos finances seront en ordre. Tout au long de l'année, les planètes vous seront favorables si vous travaillez dur.

Vierge, essayez de ne pas vous reposer sur vos lauriers et continuez à travailler dur, en investissant du temps et de l'énergie pour avoir un avenir radieux.

Famille

Le secteur de la maison et de la famille au début de l'année 2024 sera en ébullition, mais cela ne durera pas longtemps. Il y aura des problèmes, mais vous pourrez les résoudre rapidement.

Vous prévoyez peut-être un déménagement ou des travaux de rénovation, et vous devrez certainement assumer davantage de responsabilités familiales. Pendant les périodes de Pleine Lune, vous serez en mesure d'apporter des modifications à votre maison et de résoudre des problèmes en famille.

Si vous souhaitez obtenir davantage de soutien de la part de vos proches, vous devriez renforcer vos relations avec votre famille ou ceux que vous considérez comme tels, c'est-à-dire vos amis les plus proches.

Pendant les périodes de rétrogradation de Mercure, des problèmes non résolus avec votre famille feront surface. Vous vous sentirez mal à l'aise sur le plan émotionnel.

Il peut arriver que la santé des membres de votre famille soit compromise, de même que les finances de votre ménage. Dans ces moments-là, vous aurez beaucoup de soucis à vous faire.

Santé de la vierge

L'année 2024 vous apporte une bonne santé et aucun souci majeur, mais cela ne veut pas dire que vous devez être prudent. Vous aurez beaucoup d'énergie si vous suivez un bon régime physique, une alimentation équilibrée et si vous vous soumettez à des contrôles médicaux réguliers.

Au milieu de l'année, vous aurez quelques problèmes de santé mentale dus au stress, alors essayez d'être optimiste. Essayez de méditer et de faire de l'exercice, du moins essayez de marcher plus souvent. Ne passez pas vos journées assis ou allongé à regarder des séries sur Netflix.

Vous devez faire très attention à ce que vous mangez et buvez, car vous pouvez avoir des carences en certaines vitamines.

Prenez soin de vos muscles dorsaux et faites attention à l'intoxication par les boissons ; en cas de problème, vous devrez peut-être être hospitalisé.

Dates importantes

24/02- Pleine Lune en Vierge*. C'est généralement une période d'émotions intenses et vous pouvez voir les résultats de ce que vous avez fait jusqu'à présent. Vous pouvez être sensible et plus concentré sur vous-même. Essayez de faire une pause.*

25/7- Mercure entre en Vierge

8/ 5- Vénus entre en Vierge.

8/5 - Mercure entame sa rétrogradation en Vierge*. Essayez d'être gentil avec vous-même, n'exigez pas la perfection et prévoyez, avant le début de la rétrogradation, de régler les petites choses afin de ne pas avoir à vous en préoccuper pendant la rétrogradation. Cette période peut être propice aux secondes chances, alors concentrez-vous là-dessus.*

22/08- Le Soleil entre en Vierge*.*

9/ 03- Nouvelle Lune en Vierge*. Cette période est généralement propice à l'énergie, à l'enthousiasme et aux opportunités. Il peut y avoir de nouvelles opportunités qui vous excitent et vous pouvez vous concentrer sur ce que vous voulez faire pour vous-*

même. Vous pouvez prendre l'initiative dans tout ce que vous voulez et faire bouger les choses.

18/09- Eclipse lunaire partielle en Poissons, son signe opposé

Balance

La Balance est fascinée par l'harmonie et persévère à créer un équilibre dans tous les domaines de sa vie. En tant que signe d'air, elle conserve l'impartialité nécessaire pour être toujours juste grâce à sa profondeur d'esprit, ce qui en fait le signe le plus socialement expressif du zodiaque.

Séduisante et populaire parmi ses amis, la Balance vit le quotidien et est la véritable esthète du zodiaque. Vénus, la planète de l'amour, de la beauté et de l'argent, gouverne à la fois le Taureau et la Balance, mais l'analogie de la Balance avec Vénus est différente de celle du Taureau.

Le tempérament romantique de la Balance est totalement intellectuel, ce qui signifie qu'elle aime l'art et l'intellectualité. On peut trouver ce signe particulier en train de déguster du vin ou de faire l'éloge d'œuvres d'art modernes.

La Balance a besoin d'être entourée d'objets qui mettent en valeur ses intérêts fantastiques, pour lesquels elle est une excellente artiste.

Ne vous méprenez jamais sur les préférences de la Balance en pensant qu'elle est indifférente à ce qui se cache derrière la surface. La Balance se soucie de la justice et de la lutte au nom des autres pour ce qui est juste, et acceptera donc le rôle d'arbitre sage et équitable lorsque la situation l'exige.

La Balance ne sera jamais dominatrice et ostentatoire dans ses mœurs, et ce signe délicat peut résoudre les problèmes sans effort. La Balance symbolise le nous, les relations sont essentielles pour la Balance, qui trouve l'équilibre dans la relation ; par conséquent, la Balance doit faire attention à ne pas rechercher l'attention en dehors des termes convenus avec le partenaire.

La Balance veut que tout le monde soit satisfait et peut être tentée de dépasser les limites de la coquetterie.

Les Balance ne renonceront à rien pour être acceptées, même si cela doit mettre en péril leurs relations actuelles.

En tant que signe cardinal, la Balance est capable de créer des idées et de voir toutes les alternatives possibles dans une situation donnée.

Lorsque toutes les perspectives sont prises en considération, il a du mal à se décider, il a du mal à choisir parce qu'il est constamment en équilibre avec la Balance.

Ce signe d'air est motivé par les apparences physiques ; la vanité peut être une faiblesse pour la

Balance, qui peut trop se concentrer sur un partenaire qui correspond à ses désirs esthétiques.

Avoir du goût n'est pas une mauvaise chose, et le mot-clé de la Balance est la douceur, et les comportements abrupts ou oppressifs tels que l'envoi de SMS toutes les trois minutes, l'envoi de courriels à toute heure de la journée ou la tentative de mettre fin à la relation trop tôt, vous agacent.

La Balance recherche une relation élégante qui se développe progressivement. Elle et son partenaire doivent construire l'amour et la confiance étape par étape, en formant un lien basé sur un intérêt simultané pour les choses les plus exquises. Si vous voulez démarrer une histoire d'amour avec la Balance, pensez à vous rendre à l'inauguration d'une galerie d'art ou à un opéra classique.

La Balance aime être amoureuse, elle est souvent prête à se jeter dans la romance, elle est docile et délicate, et entre les soirées cravate, les sorties dans les amphithéâtres et les sorties spontanées au cinéma, les rencontres de la Balance peuvent ressembler à une liaison ou au scénario d'un film romantique.

Ce signe d'air séduisant sait comment surprendre, mais il y a aussi beaucoup de prévoyance dans ces manœuvres de rencontre exagérées.

Les Balance ont une vision très claire de ce qu'elles veulent, et il leur est facile d'essayer de modeler leur partenaire pour qu'il corresponde exactement à ces aspirations, au lieu de considérer que leurs désirs peuvent être différents.

Lorsqu'il s'engage dans une relation avec la Balance, il sait faire preuve d'élégance, et le meilleur moyen de savoir si la Balance est vraiment concentrée sur la relation n'est pas de faire des gestes romantiques élémentaires, mais de montrer subtilement son affection.

La Balance est obsédée par la conquête et, bien que l'intimité physique soit importante, ce signe a besoin de préliminaires mentaux qui conduisent à l'excitation lorsqu'il s'agit de sexe.

Certains signes peuvent être stimulés par des fantasmes de rencontres sexuelles directes, mais l'aristocratique Balance trouve ces rencontres passionnées trop prosaïques.

La Balance est allergique aux conflits ; à première vue, ce comportement pacifique est parfait, mais en réalité, il peut constituer le plus grand obstacle pour le partenaire car, pour ne pas le désillusionner, il a souvent recours à des mensonges et à des demi-vérités miséricordieuses.

Il est important de se rappeler que le but de la Balance n'est pas d'être manipulatrice, elle veut simplement que vous ne vous mettiez pas en colère contre elle.

En même temps, la Balance doit se rappeler que dans la vie, on ne peut pas être l'exemple à suivre et qu'il faut plaire à tout le monde, ce qui est un exploit impossible.

Dans les relations, il faut être honnête et les conflits sains offrent la possibilité de grandir, d'apprendre et de fixer des limites si nécessaire.

Le compromis est basé sur un dialogue honnête, et le fait d'exprimer votre désaccord empêchera également la Balance de devenir apathique et rancunière au fil du temps, de devenir angoissée et de provoquer une rupture.

La Balance n'ignore pas les ruptures. Ce signe est heureux lorsqu'il est en couple, mais il n'est pas étonnant qu'il entre et sorte constamment d'une relation. Dans leur monde courageux, les ruptures n'existent pas.

Les Balance gardent toujours leurs options ouvertes, même si elles sont dans une relation sérieuse.

Lorsque les Balance rompent avec leur partenaire, elles le font avec un langage charmant, parce qu'elles veulent toujours garder la porte ouverte et, si elles veulent rompre avec eux, elles feront tout pour l'éviter.

Les Balance sont très soucieuses de l'opinion qu'elles suscitent chez les autres et préfèrent conserver leur estime pour leur ex-partenaire plutôt que de le faire fuir définitivement.

La Balance est en phase avec le romantisme, mais se soucie de sa réputation.

Ce signe est remarquablement flexible et a la capacité d'exprimer les sentiments de son partenaire, c'est pourquoi il allumera des torches avec les signes de feu, formera des vagues gigantesques avec les signes d'eau, érigera des chaînes montagneuses avec les signes de terre et soutiendra des tourbillons efficaces avec les signes d'air, car le but de la Balance est de créer une vie équilibrée, sereine et harmonieuse avec son partenaire.

Horoscope général pour Balance

2024 ne sera pas aussi difficile que 2023, alors concentrez-vous sur les éclipses.

L'éclipse lunaire dans votre signe le 25 mars pourrait vous apporter une fin importante ou un succès. Vous pourriez arriver au bout de quelque chose d'important, ce qui vous donnera une grande vision de votre avenir.

Vous pouvez réussir ce sur quoi vous travaillez depuis un certain temps, vous pouvez croire en vous et en vos capacités. C'est la seule éclipse lunaire en Balance de cette série d'éclipses, l'énergie sera donc forte.

Le 2 octobre, une éclipse solaire en Balance se produit, avec laquelle vous pouvez vous concentrer sur un nouveau départ, saisir des opportunités et commencer une période complètement nouvelle dans votre vie. Cela peut être lié à l'éclipse solaire en Balance qui a eu lieu le 14 octobre 2023, et il s'agit d'une période complètement nouvelle dans votre vie. Concentrez-vous sur ce que vous voulez entreprendre et sur ce qui vous demande de l'audace, et allez de l'avant (intelligemment, bien sûr). Il s'agit de la dernière éclipse en Balance de cette série d'éclipses ; c'est donc la dernière injection d'énergie pour votre signe et vous pourriez vous sentir sous pression.

Au fil de l'année, vous récolterez les fruits de votre travail. Cette année vous apportera des contacts qui vous aideront à faire avancer votre carrière. Vous devez apprendre à accepter tous les changements et toutes les opportunités qui se présentent à vous.

Une meilleure compréhension des gens et de leurs opinions vous aidera tout au long de l'année. Il peut y avoir des jours sombres, mais ne perdez pas espoir, suivez vos rêves et poursuivez vos objectifs.
C'est une bonne année pour changer votre vision de la vie car, en général, presque tous les domaines seront bénis.

Avec les planètes en votre faveur, c'est une bonne année pour montrer vos compétences et vos talents au monde extérieur. Montrez au monde votre véritable force.
C'est l'une des meilleures années pour l'amour. Si vous êtes célibataire, il est possible que l'amour de votre vie vous demande en mariage pendant cette période, alors préparez-vous à vous marier et à vivre votre vie comme vous l'entendez. C'est la période où vous pouvez profiter d'une grande vie amoureuse.

C'est aussi une période de renouveau pour tous ceux qui sont mariés : au fil de l'année, les relations commencent à évoluer et à s'épanouir.

2024 sera une année riche en possibilités romantiques. Si vous êtes en couple, vous pouvez vous attendre à des liens affectifs plus profonds et à une plus grande harmonie avec votre partenaire. Si vous êtes célibataire, ce pourrait être l'année où vous rencontrerez quelqu'un de spécial. Cette année, vous aurez de la chance : c'est le moment idéal pour planifier la naissance d'un enfant, si vous y avez pensé récemment.

Cette année, vous recherchez une approche équilibrée entre l'émotion et le romantisme dans vos relations.

Votre parcours professionnel sera plein d'opportunités ; les planètes suggèrent que vous pourriez trouver de nouvelles offres d'emploi, des promotions ou des projets intéressants. Il est essentiel que vous restiez ouvert au changement, car cette année peut apporter des changements inattendus. Ne perdez pas de vue vos objectifs, ne désespérez pas car vous atteindrez progressivement vos objectifs financiers au fil de l'année.

C'est une année prometteuse pour les Libyens sur le plan financier et l'abondance est garantie.

Veillez à votre santé physique et mentale, car il est essentiel de maintenir l'équilibre. Incorporez des pratiques holistiques telles que la méditation et le yoga pour vous aider à rester calme et concentré.

Amour

Vous pouvez vous sentir submergé par tant de responsabilités, ce qui peut entraîner des conflits avec votre partenaire. Essayez de faire une pause et de vous distraire.

Il y aura des changements dans vos relations, ce que vous voulez et ce dont vous avez besoin, ce que vous donnez et qui vous attirez sera restructuré.
Vous pouvez prendre des engagements de manière rapide et inattendue, dans des circonstances inhabituelles ou avec des personnes peu conventionnelles.
Vous voudrez attirer l'attention cette année et cela créera des drames dans votre vie amoureuse.

Des énergies plus équilibrées entreront dans votre domaine amoureux pendant les nouvelles lunes, vous serez plus optimiste car ces lunes vous apportent une énergie magique qui est parfaite pour attirer d'autres personnes qui cherchent l'amour occasionnellement, mais qui ne sont pas désespérées de le trouver.

Votre aura sera très compétitive et vous ne craindrez pas de prendre des risques avec quelqu'un dont vous savez qu'il a déjà un partenaire. La prudence est de mise dans ce domaine.
Votre attitude risque de décevoir certaines personnes.

Pendant les périodes de pleine lune, vous pourrez renforcer vos engagements envers les autres si vous êtes dans une relation saine. Vous aurez également la possibilité de vous éloigner des autres si vous n'êtes pas dans une bonne relation ou s'ils sont toxiques.

Après juillet, vous commencerez à sortir et à rencontrer des gens intéressants, dont l'un en particulier attirera votre attention au point de vous donner envie d'avoir une relation.

Les célibataires peuvent être attirés par des personnes ayant une sensibilité particulière, comme les musiciens ou les poètes, ou ils peuvent trouver l'âme sœur dans un environnement spirituel.

L'économie

Vous devrez travailler dur pendant l'année pour en récolter les fruits. Après le 26 mai, Jupiter en Gémeaux aura un impact significatif sur votre profession ; par conséquent, si vous souhaitez changer d'emploi, ce sera possible. Le nouvel emploi sera meilleur que le précédent et aura un impact direct sur votre situation financière, la renforçant considérablement. Si vous avez votre propre entreprise, vous devriez donner la priorité à votre travail.

Votre concentration doit s'améliorer et l'approfondissement de ce que vous voulez faire vous

aidera beaucoup. Il se peut que vous deviez d'abord apprendre des leçons sur le travail, ce qu'il représente pour vous, ce dont vous avez besoin pour mieux effectuer votre travail et ce que vous êtes prêt à donner.
Vous pourrez faire de bons investissements pour votre avenir financier et atteindre progressivement vos objectifs financiers, un par un. C'est une année prometteuse pour la Balance en termes de finances et qui vous garantit l'abondance et la croissance financière. Restez concentré et discipliné tout au long de l'année.

Cette année sera une année au cours de laquelle vous obtiendrez tout ce que vous vouliez en termes financiers, mais c'est un processus qui ne sera pas continu et il y aura des choses auxquelles vous devrez faire face.
Il est conseillé de contrôler son argent et de le gérer correctement en début d'année, afin de pouvoir progresser pendant le reste de l'année.

Dans le domaine de l'argent, il vous faut un cœur solide pour résister aux éclipses, gardez la foi car le résultat est bon. Vous serez au sommet du monde pendant un certain temps, puis au bas de l'échelle. Mais cette année, les mouvements planétaires indiquent une fin d'année prospère.
En bref, une période de grande prospérité s'ouvre et l'argent pleut sur vous.

Ils peuvent facilement gagner dans les investissements et les jeux de hasard. Ils peuvent également acheter une nouvelle voiture.

Famille

Le stress sera présent dans votre vie familiale cette année. Les disputes sont inévitables, Pluton dans ce secteur apportera de grands changements dans votre foyer et vous devrez résoudre vos problèmes d'enfance.

Vous pouvez profiter de cette année pour améliorer votre vie familiale et travailler à l'amélioration de vos liens avec votre famille ou ceux que vous considérez comme tels.

Il est donc important de mettre l'accent sur les soins et le soutien, de s'efforcer de faire de votre maison un lieu accueillant et de s'efforcer de créer des liens familiaux.
Votre maison va se métamorphoser. Votre maison et votre bien-être seront une priorité pour vous car vous passerez plus de temps chez vous. Vous penserez à déménager, mais vous le reporterez à 2025. Vous embellirez votre maison en changeant quelques choses.

Si vous avez des enfants plus âgés, ils peuvent quitter la maison cette année. Vos parents et vos frères et sœurs peuvent quitter la maison. Toute votre famille sera en mouvement.

Santé de la Balance

Des problèmes d'anxiété et de stress peuvent survenir au cours de l'année, mais n'oubliez pas qu'un bon état physique et mental vous permettra d'accomplir de grandes choses dans la vie.

La santé a été un domaine stressant l'année dernière. Vous avez dû relever de grands défis parce que les planètes vous ont stressé. Vous devez toujours garder un œil sur votre énergie en général, en particulier sur vos niveaux d'énergie.
Cette année, vous avez besoin de deux fois plus d'énergie, ce qui peut affecter vos organes les plus vulnérables.

Un stress excessif et un mode de vie sédentaire peuvent être des facteurs de risque ; essayez donc d'avoir une routine organisée pour garantir une santé optimale.
Éliminez les excès, reposez-vous et donnez la priorité à une bonne alimentation. Effectuez des exercices qui vous permettent de relâcher les tensions accumulées. Il est bon d'essayer de nouvelles techniques, telles que la méditation ou le yoga, qui sont bénéfiques pour le corps et l'esprit.

Dates importantes

25/03- La Pleine Lune en Balance (éclipse lunaire pénombre l'en Balance*) dans votre signe signifie que cette Lune aura un impact particulier sur vous. Ce sera une période où vous vous efforcerez d'améliorer votre vie et celle de vos proches. L'univers apporte le bouton que vous attendiez.*

29/ 06- Lilith entre en Balance*. Ce transit peut intensifier votre soif de justice, mais aussi votre tendance à manipuler les autres, généralement avec de bonnes intentions. Vous devez faire attention à ne pas être trop intransigeant et croire que vous êtes le détenteur de la vérité dans vos relations amoureuses et sociales. Vous devez éviter d'agir avec cynisme, surtout lorsque vous êtes sur la défensive.*

8/ 29-Vénus entre en Balance*. Indique une analyse excessive des questions émotionnelles.*

22/ 9- Le Soleil entre dans la Balance*.*

9/ 30- Soleil conjoignant Mercure en Balance*. Le moment idéal pour communiquer vos idées.*

10/2- Eclipse solaire annulaire en Balance*. Ruptures amoureuses ou fiançailles. Déceptions ou moments de clarté spirituelle. Des débuts au travail ou en famille liés à des fins importantes.*

Scorpion

Le Scorpion a mauvaise réputation. Ce signe d'eau sombre est célèbre pour son charme mystérieux, son ambition impitoyable et son caractère insaisissable. Le signe le plus compliqué du zodiaque est représenté par le Scorpion, un animal perfide qui vit dans l'obscurité.

Pour le Scorpion, la vie est un jeu d'échecs, régi par la planète Pluton, qui a la capacité de se régénérer et de se transformer en sa version la meilleure et la plus forte.

La croissance est fondamentale pour le Scorpion, qui utilise la métamorphose comme outil d'expansion émotionnelle et psychique. Comme Pluton et les pouvoirs de séduction du monde occulte, le Scorpion dégage de l'énergie.

Les Scorpions n'ont aucun mal à trouver des prétendants et sont connus pour leur incroyable sensualité. En dépit de leur réputation lascive, ils accordent de l'importance à l'honnêteté et à l'intimité dans leurs relations.

En raison de son incroyable férocité et de sa puissance, le Scorpion est considéré comme un signe de feu, mais il appartient à l'élément eau, ce qui symbolise le fait qu'il puise sa force dans le subconscient et les émotions.

Les Scorpions sont remarquablement intuitifs et sensibles, ils peuvent sentir l'énergie de n'importe quelle maison et absorber les émotions des autres.

Le Scorpion est dur et, comme son symbole astrologique, il veille dans l'obscurité, attendant l'occasion parfaite pour frapper au moment où l'on s'y attend le moins. Ce signe d'eau calculateur se projette toujours vers l'avant avec un grand plan.

Cela ne signifie pas que ses intentions sont nécessairement néfastes, mais seulement qu'il aime planifier à long terme et que, pour ce faire, il se concentre sur ses objectifs et ne dévoile jamais ses cartes.

Les Scorpions savent utiliser leur intuition pour manipuler n'importe quelle situation et monter les gens les uns contre les autres. Les Scorpions doivent toujours garder à l'esprit que s'ils se laissent contrôler par leur désir de manipulation et de pouvoir, ils courent le risque de se faire piquer. Leur comportement secret peut leur faire perdre des relations.

Ce signe sait être à son meilleur lorsque son intensité personnelle s'applique aux amis proches car, bien que dubitatif et possessif, il est aussi très défensif envers ceux qu'il aime et est prêt à les protéger sans y penser.

Lorsqu'il est capable d'établir la confiance et de se sentir en sécurité, le Scorpion fait preuve d'empathie et d'engagement.

Une personne élégante vous fait bonne impression et, en tant que signe d'eau, vos sens sont très aiguisés, alors quand il s'agit de romance, vous devriez la gâter avec beaucoup de passion.

Ce signe d'eau intense tient à son intimité, il n'est donc pas facile de laisser un étranger pénétrer dans sa vie privée.

Si vous souhaitez faire la cour à un Scorpion, le processus de rencontre est très long et sera ponctué de nombreuses épreuves de force émotionnelle.

Chaque mouvement de ce signe est intentionnel, il faut donc être très rapide pour suivre la rime.

S'il parvient à traverser le processus avec succès, le Scorpion sera prêt à développer un lien d'âme avec vous. Contrairement aux autres signes, lorsque le Scorpion est dans une relation, cela ne signifie pas qu'il se sent en sécurité, son intensité est perpétuelle, car son objectif principal est de s'accrocher à son partenaire pour la vie.

Aucun signe du zodiaque n'est plus attaché au sexe que le Scorpion, mais malgré ses tendances, l'acte physique de l'intimité est moins important pour le Scorpion que la création de liens.

Les Scorpions ont du mal à satisfaire leur appétit et sont donc attirés par les expériences sombres et mystérieuses.

Il est très facile de devenir dépendant des relations, et cela peut prendre la forme de la folie, dans laquelle le Scorpion crée délibérément des problèmes pour tester son partenaire, un comportement toxique et aversif. Les Scorpions doivent se rappeler que dans les relations sérieuses, les personnes ont droit à l'indépendance émotionnelle et à l'intimité.

La principale chose à garder à l'esprit dans une relation avec un Scorpion est d'être clair, de demander ce que l'on ressent et de ne pas craindre de remettre en question tout comportement caché.

Les Scorpions aiment être responsabilisés et plus vous vous engagez avec eux par le biais d'une communication directe, plus la relation sera sécurisée.

Malheureusement, les déceptions sont inévitables dans la vie et, bien que les Scorpions soient célèbres pour leur capacité à renaître de leurs cendres, cela ne signifie pas que les ruptures soient faciles pour eux ; en fait, ils ont du mal à quitter leur partenaire.

Peu importe que ce soit lui qui prenne l'initiative de la rupture, ce signe pénétrant se sent toujours impuissant une fois que celle-ci a eu lieu.

Parfois, la fin d'une relation déclenche le désir particulier de contrôle du Scorpion, ce qui l'amène parfois à être en détresse et à s'impliquer avec ses anciens partenaires, il est donc préférable d'étouffer l'affaire dans l'œuf.

Poussé par ses passions, le Scorpion est un partenaire engagé et, bien que certains signes résistent à sa ténacité, d'autres signes sont inspirés par son énergie.

Horoscope général pour Scorpion

Cette année sera passionnante et intense, alors abordez-la avec une attitude positive. Préparez-vous à de nombreuses turbulences. Il est important de garder l'esprit ouvert, car il y aura des opportunités, mais aussi des défis inattendus. Si vous gardez une attitude flexible, vous pourrez tirer le meilleur parti de ces circonstances et les transformer en réalisations positives.

Bien que des obstacles puissent survenir au cours de l'année, les Scorpions ne doivent pas perdre la foi. Attendez-vous à l'inattendu et préparez-vous au pire.

Restez à l'écart de toute tentation et analysez le pour et le contre avant de prendre des décisions importantes pour votre vie.

Soyez honnête, ne perdez pas votre dignité et ne perdez pas espoir lorsque vous êtes mis au défi. C'est une année de grands changements, alors réévaluez périodiquement votre position dans la vie. Continuez à travailler et à nager à contre-courant.

Pendant la pleine lune, vous pourrez voir les résultats des projets sur lesquels vous avez travaillé. Vous devez donner la priorité à vous-même, à vos souhaits et à vos besoins.

Pendant la période de la nouvelle lune, votre énergie et votre enthousiasme seront très élevés. Vous devriez prendre des initiatives et chercher des occasions de prendre un nouveau départ.

Cette année, vous allez connaître un changement général dans votre vie, votre approche et vos perspectives. Il s'agit d'un changement subtil qui peut ne pas sembler immédiatement apparent. Vous aurez la détermination d'atteindre vos objectifs malgré les défis.

Si vous envisagez de vous engager dans une relation, de vous marier ou d'avoir des enfants, c'est l'année idéale pour le faire. Vous recevrez le soutien et l'amour de votre famille.

Essayez toujours de chercher le positif dans tout ce que vous rencontrez cette année, vos efforts seront récompensés au cours des trois derniers mois de l'année. N'attendez pas que les choses tombent du ciel, cherchez-les.

Cependant, vous disposerez de beaucoup d'énergie mentale pour mettre en œuvre vos projets. Vous devrez donc fournir un effort pour nourrir vos idées, votre esprit et être plus ingénieux dans vos projets.

Pendant les périodes d'éclipse, vous serez en mesure d'accéder à votre subconscient et de comprendre vos problèmes. Il peut s'agir d'un moment important pour lâcher prise et vous débarrasser de quelque chose ou de quelqu'un qui vous retient depuis un certain temps.

Votre famille vous soutiendra, vous vous sentirez en sécurité et vos vraies amitiés resteront fortes. Les personnes qui vous aiment vraiment seront toujours à vos côtés. Au milieu de l'année, vous devrez vous méfier d'une éventuelle trahison d'amitié, car vous serez confronté au dilemme de savoir si vous devez affronter la personne ou laisser tomber.

Vous serez en forme cette année, votre énergie sera puissante, mais attention à ne pas vous surmener. Faites des pauses quand c'est nécessaire, vous devez éviter l'épuisement.

Amour

De nouvelles personnes entreront dans votre vie. Vous saurez faire des compromis et vous éloigner de ceux avec qui vous n'avez pas de bonnes relations.

Il est temps de prendre l'amour au sérieux et de travailler à l'élimination des traumatismes amoureux du passé. Ceux-ci peuvent provenir des années de jeunesse ou de vies antérieures. Cette purification vous aidera à renforcer les liens affectifs que vous entretenez avec les autres.

L'année est favorable au mariage et à la naissance d'enfants, qui apporteront joie et bonheur dans votre foyer ; profitez-en donc pour améliorer vos liens familiaux.

Les Scorpions qui sont en couple vont vivre une période très décisive. N'oubliez pas d'être loyal et honnête avec votre partenaire et de partager vos émotions. Certains Scorpions verront une amitié se transformer en relation romantique.

Si vous êtes célibataire, vous aurez l'occasion de trouver l'amour ou c'est lui qui vous trouvera. Prenez le temps d'analyser la personne et d'écouter votre cœur.

En fin d'année, il peut y avoir des malentendus et des erreurs pour les jeunes mariés, qui peuvent être trompés au nom de l'amour.

La vie vous a mis à l'épreuve de bien des façons et vous a soumis à des situations difficiles, mais vous les avez affrontées et défiées avec précision, vous devez donc être patient. Toutes ces expériences ont fait de vous ce que vous êtes. Vous êtes devenu fort et courageux et rien ne vous arrête. Malgré cela, vous craignez encore d'exprimer ce que vous ressentez. Cette année vous apprendra de nombreuses leçons que vous avez ignorées pour faire semblant d'être une personne sans émotions. Exprimer ses émotions est important.

En bref, en ce qui concerne les affaires de cœur, vous vivrez une année de connexions émotionnelles profondes et de relations transformatrices. Que vous soyez célibataire ou dans une relation engagée, les planètes vous encouragent à embrasser votre vulnérabilité et à ouvrir votre cœur à l'amour. Faites toujours confiance à votre intuition.

Cette année, il est important de maintenir un équilibre entre vie professionnelle et vie personnelle. Des projets bien pensés conduiront à des changements positifs. Vous trouverez la stabilité et le bien-être dans votre vie personnelle et professionnelle et vous développerez une vision mature.

L'économie

Commencez la nouvelle année en accordant une attention particulière à l'argent, à votre situation financière et aux ressources dont vous disposez.

Pendant les périodes de rétrogradation de Mercure, vous surmonterez des défis et tenterez d'éliminer des blocages.

Vous aurez des gains monétaires, mais vous ne serez peut-être pas satisfait de ces gains financiers. Le début de l'année n'est pas le bon moment pour faire de gros investissements ou prendre des risques.

Il est conseillé de surveiller de près vos investissements et vos transactions, car un faux pas pourrait mettre en péril votre investissement et vous affecter émotionnellement ; soyez prudent avec vos finances cette année.

Vous aurez de nouvelles sources de revenus et, si vous vous trouvez au milieu de conflits, l'argent y mettra fin. Dans la seconde moitié de l'année, vous pourriez avoir des dépenses inattendues pour des voyages, des soins de santé, des équipements ou des réparations de voiture.

Le travail est important pour vous et vous pensez qu'il vaut mieux travailler dur que de simplifier le chemin. Cette année, votre dévouement et votre volonté vous mèneront au succès. Votre passion pour le travail sera admirée par vos collègues et vos efforts serviront d'exemple.

Famille

Il y aura quelques problèmes dans la vie familiale, mais ils pourront être résolus.

Vous pouvez avoir des conflits avec les membres de votre famille. La santé d'un proche peut être compromise, ce qui peut être à l'origine d'une mauvaise ambiance au sein du foyer.

Il se peut que vous viviez dans un endroit complètement différent, avec de nouvelles personnes, ou que vous cherchiez des occasions de faire des changements dans votre maison ou avec ceux que vous considérez comme familiers.

Entre février et mars, c'est la meilleure période pour changer ou rénover son logement.

Vous devez vous efforcer de cultiver les liens avec les personnes que vous considérez comme votre famille, afin qu'elles se sentent plus en sécurité.

Santé du Scorpion

Il est important de prendre soin de votre santé. Vous avez pris des habitudes malsaines, comme boire à l'excès et sauter le petit-déjeuner au profit de déjeuners tardifs. Ces habitudes peuvent nuire à votre bien-être.

Il est important de les changer et d'adopter un mode de vie sain.

Il n'est pas forcément possible d'abandonner complètement le goût de l'alcool ; il faut donc essayer d'en réduire la consommation et la fréquence.

Les conflits d'opinion avec les collègues de travail, surtout en milieu d'année, peuvent être source de stress. L'incapacité à exprimer ses émotions peut accroître l'anxiété.

Le stress et l'anxiété peuvent entraîner des problèmes de tension artérielle et de système digestif.

Adoptez une approche équilibrée de l'exercice, car un effort excessif peut être source de stress. Envisagez des activités qui font du bien à votre cœur et à votre âme. Le rire et la joie doivent vous accompagner pour maintenir votre bien-être.

Dates importantes

4/23 Pleine Lune en Scorpion. *Vous devez vous méfier de votre tendance à la jalousie et au désir de vengeance. Cette Lune est synonyme de profondeur et* *de renaissance et vous invite à vous aventurer à l'intérieur pour ouvrir les blessures et renaître. Vous pouvez vous sentir naturellement attiré à laisser partir les choses ou les personnes qui ne servent plus votre chemin.*

23/9 Vénus transite le Scorpion. *Ce transit est très puissant, car il vous amènera à changer votre rapport à l'intimité. Dans ce cycle, vous avez la possibilité de vous ouvrir à un nouveau contact avec votre intimité.*

13/10 Mercure entre en Scorpion. *Votre esprit est captivé et vous êtes capable de voir au-delà de la surface et de vous connecter à votre intuition. Des secrets peuvent être révélés, dévoilant tout ce qui est caché.*

22/10 Le soleil entre en Scorpion

11/01 Nouvelle Lune en Scorpion. *L'un des moments les plus importants du mois si vous souhaitez vous connecter à votre potentiel énergétique. Transformez positivement tout ce qui nécessite un changement dans votre vie.*

Sagittaire

Le Sagittaire est un signe qui accumule constamment des connaissances. Il traverse les mers et plonge dans les moindres recoins de l'univers au cours de ses voyages à la recherche de sensations fortes.

En matière d'amour, chaque jour et chaque heure sont une aventure pour ce signe de feu actif. Jupiter, la planète de l'abondance, est le maître du Sagittaire, la bonne fortune suit ce signe partout où il va et, en tant que centaure astrologique, le Sagittaire désire un développement mental, philosophique et spirituel et, bien sûr, beaucoup de plaisir.

Le Sagittaire a la capacité de transformer n'importe quoi, même l'activité la plus banale, en une entreprise fascinante.

Tout le monde a une histoire et, comme le Sagittaire est un excellent orateur, il peut partager ces souvenirs avec ses amis, sa famille et des personnes extérieures pour inspirer et éclairer tout le monde. Il suscitera également des rires contagieux dans l'auditoire.

Parce que ce signe de feu est séduisant, il est toujours entouré de spectateurs avides ; en d'autres termes, ce signe est sans aucun doute l'enfant célèbre du zodiaque. En tant que signe changeant, le

Sagittaire est également adaptable ; en fait, il a un désir profondément ancré de changement répété.

Le Sagittaire aime acquérir de nouvelles éthiques, idéologies et logiques, changer de perspective et, ce qui est peut-être le plus important, voyager dans le monde.

Le vagabond du zodiaque a une qualité d'errance et peut devenir capricieux s'il reste trop longtemps au même endroit ; il est donc essentiel que ce signe ait la liberté d'explorer.

Tout le monde n'a pas la capacité de suivre les préoccupations en constante évolution du Sagittaire, alors quand il s'agit de passion, ce signe de feu est connu pour gagner les cœurs.

Le Sagittaire est aussi le clown du zodiaque ; il raconte toujours une histoire ou une anecdote ; par conséquent, chaque conversation est pleine de plaisanteries et d'une sincérité remarquable.

Même s'il n'a pas d'adversaire, le Sagittaire doit se méfier de sa langue acérée et de ses commentaires satiriques. Leur énergie est parfois exagérée, ce qui les fait paraître prétentieux, voire méprisables.

La qualité changeante du Sagittaire rend un peu difficile la prise de décisions, comme celle de s'engager dans une relation. Avec tant de possibilités, vous avez du mal à choisir la bonne relation parce que vous aimez garder vos options ouvertes.

Pour ne pas être éclipsé, il faut être honnête avec ce signe, lui parler, être ferme et tout ira bien, car s'il y a bien une chose que le Sagittaire apprécie, c'est la sincérité.

Avec son esprit d'aventure intact, sortir avec le Sagittaire, c'est comme voler en montgolfière ou sauter en parachute par mauvais temps, car il aime vivre à la limite, là où il y a le plus d'occasions de découvrir quelque chose de nouveau.

En matière de relations, les choses deviennent risquées pour le Sagittaire, qui peut être encouragé à avoir des relations à haut risque.

Il n'est pas facile d'attirer l'attention du Sagittaire : après tout, le Centaure ne reste pas longtemps au même endroit pour maintenir sa motivation. Par conséquent, si vous voulez conquérir un Sagittaire, vous devrez garder ce signe dynamique en éveil ; ne craignez pas de montrer les aspects les plus énergiques de votre personnalité.

Le Sagittaire est attiré par l'affirmation de soi, alors n'oubliez pas de maintenir un style de communication amical. Vif et libre d'esprit, le Centaure a tendance à être insouciant lorsqu'il s'agit de sexualité, et ses relations physiques peuvent aller de l'accident à l'engagement, et comme il est un archéologue naturel, le sexe est toujours un événement pour ce signe fougueux.

Le Sagittaire considère l'intimité comme une occasion de découverte de soi et de plaisir intellectuel ; par conséquent, lorsqu'il s'agit de sexe, il a tendance à rechercher des sensations fortes.

Lorsque le Sagittaire décide de s'engager, les choses ne changent pas, il faut essayer de maintenir un style de vie aventureux 24 heures sur 24, 7 jours sur 7.

Les relations sérieuses consistent à partager les faiblesses, à créer une méthode de soutien et à affronter les réalités ensemble, mais si votre emploi du temps ne peut pas supporter le Sagittaire, essayez de faire de chaque jour un événement.

Envisagez d'explorer des pratiques de bien-être alternatives avec votre partenaire du Centaure : il aimera développer ses limites spirituelles avec vous à ses côtés. Lorsqu'il s'agit d'aventure, le Sagittaire cherche simplement un partenaire amusant ; il veut être avec quelqu'un qui le pousse à élargir ses horizons.

Mais n'oubliez jamais que, même dans une relation, le Sagittaire déteste les limites, alors si vous

vous retrouvez dans une relation avec ce signe, assurez-vous d'avoir votre document d'entrée prêt.

Vous ne saurez pas ce qui vous attend, mais ce sera certainement un voyage sans escale.

Les limites ne sont pas une mauvaise chose ; au contraire, elles fournissent une structure solide à la relation.

Lorsque vous êtes dans une relation avec un Sagittaire, essayez de créer dès le début des choses qui clarifient les choses à faire et à ne pas faire dans une relation.

Si vous voulez que votre Sagittaire vous envoie des messages tous les soirs, vous devez le lui dire dès le début, car il lui sera plus facile de comprendre la relation si les règles sont claires.

Le Sagittaire est toujours à la recherche de nouvelles sensations et sa liberté doit être respectée pour maintenir une relation saine à long terme. Faites-lui savoir que vous souhaitez participer à ses activités, mais laissez-le prendre la décision seul et évitez de le culpabiliser s'il décide de faire cavalier seul.

Le Sagittaire est très sincère, donc lorsqu'une rupture commence, les termes sont simples : s'il dit que c'est fini, c'est fini, il n'y a pas de retour en arrière possible avec lui.

En tant que bohémien, il est facile pour lui de faire ses valises et de partir lorsque les choses ne fonctionnent pas. En fait, le Sagittaire peut souvent passer à autre chose comme si la relation n'avait jamais existé.

Horoscope général pour Sagittaire

Cette année sera prometteuse pour le Sagittaire. Votre vie personnelle et professionnelle se déroulera bien, même si elle comportera son lot de défis et de responsabilités.

Vous devrez prendre des décisions importantes et vous devrez donc vous appuyer sur les conseils de vos amis et de vos proches.

C'est une période qui vous sortira de la routine et vous encouragera à poursuivre vos ambitions. Ce sera une année qui vous donnera un sentiment d'accomplissement.

C'est une année chanceuse pour le Sagittaire, mais le travail acharné et l'engagement seront la clé du succès. Ne soyez pas myope, apprenez à avoir une vue d'ensemble. Tous vos mouvements doivent être faits avec sagesse.

À partir du 25 mai, Jupiter, votre maître, transite par les Gémeaux. Cela vous aidera à vous rapprocher de votre objectif.

Pendant les périodes de rétrogradation de Mercure, vous aurez probablement envie de planifier de nouveaux départs et de vous concentrer sur les secondes chances.

Pendant les périodes de Nouvelle Lune, des opportunités uniques peuvent se présenter ; soyez donc très intelligent dans vos décisions et ayez confiance en vous.

Pendant les périodes de Pleine Lune, vos émotions seront à leur maximum et vous devrez prêter plus d'attention à vos désirs et à vos besoins.

La santé du Sagittaire sera moyenne cette année. Vous devez être vigilant et vous préoccuper de votre bien-être général. Vous traverserez des périodes de grand stress et d'anxiété qui affecteront grandement votre santé. Des habitudes malsaines pourraient nuire à la santé de votre cœur.

Méfiez-vous des dépendances. Reposez-vous suffisamment et privilégiez les repas préparés à la maison plutôt que la restauration rapide.

L'année est favorable à votre vie familiale, vous connaîtrez la prospérité et le bonheur au foyer.

Cependant, la santé de vos enfants peut être une source d'inquiétude.

Les personnes qui souhaitent avoir un enfant pourront tomber enceintes dans les derniers mois de 2024.

L'amour s'épanouira, mais vous devez essayer de résoudre les différends dans votre relation.

.

Amour

Vous devriez faire très attention à vos relations amoureuses cette année, car les problèmes existants pourraient s'aggraver. Vous devriez vous efforcer d'éliminer les blocages amoureux.

Pendant les périodes d'éclipse, il est possible de renouer avec d'anciennes amours.

Les éclipses peuvent vous rappeler d'être joyeux, de vous amuser et de laisser entrer l'amour dans votre vie si vous êtes célibataire.

Les périodes de pleine lune vous rapprocheront des personnes avec lesquelles vous avez des liens forts et avec lesquelles vous ressentez une connexion spirituelle, mais vous vous éloignerez des personnes toxiques.

Jupiter après le 25 mai et tout au long de l'année 2024 apportera de l'énergie à vos relations. Vous aurez l'occasion de rencontrer de nombreuses personnes importantes et, de ces nouveaux liens, pourrait naître une histoire d'amour.

Si vous étiez en couple, vous pourriez décider de vous engager.

Pendant les périodes de Nouvelle Lune, vous serez ouvert à l'engagement et aux relations émotionnelles et physiques avec les autres.

Sentimentalité, sensualité, passion et beaucoup de plaisir vous attendent.

L'économie

Uranus continue d'apporter des changements dans votre vie professionnelle, mais Jupiter vous offre l'opportunité de faire les changements que vous souhaitez.

Vous aurez de nouvelles opportunités de projets ou un tout nouveau travail qui vous enthousiasmera.

Prêtez attention aux périodes de nouvelle lune, car c'est à ce moment-là que de nouvelles opportunités de prospérité se présentent.

Vous serez plus productif, efficace et organisé et les projets dans lesquels vous êtes impliqué porteront beaucoup de fruits, c'est-à-dire beaucoup d'argent, après le mois d'août.

Pendant les périodes de Pleine Lune, vous vous sentirez émotionnellement attaché à votre travail ou à votre profession. Durant ces périodes, vous approcherez de la fin de phases importantes pour vous sur le plan financier.

Vous devez avoir un plan financier et investir judicieusement. Ne vous laissez pas emporter par des options d'investissement insignifiantes, car vous pourriez perdre votre capital.

Jupiter et Saturne favorisent vos projets d'investissement à long terme. D'une manière générale, c'est une année au cours de laquelle vous ne ressentirez aucune crise financière.

Famille

A la maison, des problèmes obscurs peuvent surgir, mais ces événements renforceront votre intuition émotionnelle.

Certains vieux problèmes liés à la maison et à la famille devront être éliminés. Cela pourrait signifier plusieurs périodes d'incertitude, d'instabilité ou d'absence de liens familiaux.

Vous pourriez déménager, acheter une propriété, agrandir votre famille ou assumer de grandes responsabilités familiales. Les périodes de nouvelle lune peuvent offrir ces opportunités.

Soyez prudent pendant les éclipses lunaires, car cette forte énergie peut amplifier les problèmes familiaux. L'idéal est d'essayer d'améliorer les choses avant l'éclipse.

Sagittaire Santé

Le signe étant très actif, on risque de ne pas remarquer l'accumulation de fatigue chronique et de stress. Il est conseillé de consacrer du temps à la détente. Un massage, une discussion avec des amis et une promenade sur la plage amélioreront votre humeur et votre appétit.

Il est conseillé de suivre un régime alimentaire sain, en essayant de consommer des quantités suffisantes d'aliments riches en vitamines. Une carence en certaines vitamines peut entraîner des problèmes de peau.

Vous devez éviter la tension nerveuse et ne pas assumer trop de responsabilités à la fois. Des vacances à la mer seraient non seulement passionnantes, mais auraient également un effet bénéfique sur votre bien-être physique et mental.

Certains Sagittaires devront subir plusieurs visites chez le dentiste, tandis que d'autres diront tristement adieu à leurs aliments préférés. Un régime s'impose.

Tous les efforts ne seront pas vains. La modération et l'attention portée à la santé seront des sources d'optimisme.

Dates importantes

01/ 02- Mercure transite directement dans le Sagittaire.

Vous pourrez communiquer de manière plus fluide, vos pensées se concentreront plus facilement sur l'avenir.

23/05- Pleine Lune en Sagittaire.

Vous aurez l'occasion de vous libérer des modes de pensée qui limitent votre croissance. C'est le moment idéal pour élargir votre perspective et vous sentir plus confiant. Cette Pleine Lune marque la fin des liens émotionnels qui ne sont pas en accord avec votre énergie. Elle clôt un chapitre de votre vie lié aux questions financières. Vous avez besoin de trouver un équilibre dans votre routine quotidienne.

17/10- Vénus transite le Sagittaire.

C'est le moment de conquérir, car votre aura sera magnétique. Le sérieux ne fera pas partie de vos projets amoureux et vous aurez l'occasion d'essayer de nouvelles choses.

11/ 02- Mercure transite en Sagittaire.

Vous comprendrez mieux les motivations et les actions des gens.

21/11- Le Soleil entre dans le Sagittaire.

11/ 26- Mercure rétrograde en Sagittaire.

Évitez de signer des accords. Réfléchissez à votre passé, apprenez à demander pardon et faites preuve de souplesse en ce qui concerne le calendrier. Planifiez à l'avance. Ne prenez pas de décisions importantes.

12/01- Nouvelle Lune en Sagittaire.

Analysez vos relations personnelles, abordez les choses calmement et débarrassez-vous du stress. Éliminez la routine, planifiez de nouvelles choses avec engagement et dévouement. Fixez-vous des objectifs solides.

12/ 06- Soleil conjonction Mercure en Sagittaire.

C'est le jour idéal pour communiquer vos idées avec clarté et assurance.

15/12- Mercure direct en Sagittaire.

Vous pourrez communiquer de manière plus fluide, vos pensées se concentreront plus facilement sur l'avenir.

Capricorne

Le Capricorne est un signe représenté par la chèvre de mer, un animal avec la moitié d'une chèvre et la queue des Poissons.

Ce mystérieux spécimen peut vivre à la fois sur terre et dans l'eau et représente la capacité du Capricorne à équilibrer la logique et l'intuition.

Le signe le plus ambitieux du zodiaque sait mettre ces compétences en pratique.

Le Capricorne est gouverné par la planète majeure Saturne, la planète qui gouverne le temps et les restrictions. En astrologie, Saturne a pour rôle de donner des leçons difficiles et le Capricorne n'est pas étranger à ces souffrances.

Les Capricornes ont tendance à avoir beaucoup à faire pendant l'enfance et la jeunesse, mais ils rajeunissent, deviennent optimistes et amusants à mesure qu'ils mûrissent.

Sa force de caractère l'accompagne toujours et le Capricorne utilise cette force intérieure pour surmonter les obstacles et atteindre ses objectifs à long terme. En bref, ce signe ne permettra jamais à quoi que ce soit ou à qui que ce soit de s'opposer à son succès.

En tant que signe cardinal, le Capricorne est excellent pour lancer des projets et assumer des postes de direction, et son attitude positive lui permet de réussir dans n'importe quelle profession.

Le Capricorne aime partager avec ses amis proches et ses compagnons et ce signe de terre apprécie les moments de qualité avec ses partenaires.

Le Capricorne aime créer un environnement avec des personnes partageant les mêmes idées et dans chaque Capricorne sérieux se cache un personnage très espiègle.

Au premier abord, il semble un peu traditionnel et conservateur, mais ceux qui sont plus proches du Capricorne savent que cette chèvre de mer peut se transformer en véritable noctambule et faire la fête sans arrêt.

L'ambition du Capricorne inspire les apathiques, mais en raison de sa concentration inébranlable, il a aussi la réputation d'être froid et sans émotion. Par habitude, il pense toujours à la situation dans son ensemble et n'a ni le temps ni l'énergie de conseiller ses amis.

Bien que tous les Capricornes ne soient pas identiques, ils devraient se rappeler que tous les succès de la vie ne figurent pas sur un CV et qu'en fin de compte, l'empathie est plus importante que n'importe quelle carrière.

La compassion et l'ambition ne s'excluent pas mutuellement et lorsqu'il aura la capacité d'unir ces aspects dans sa vie, il sera beaucoup plus heureux.

Les Capricornes ont toujours un statut élevé, c'est pourquoi ils sont attirés par des partenaires ambitieux. Ils sont attirés par les personnes qui ont un talent professionnel ou créatif, ou même de l'humour.

Lorsque vous fréquentez un Capricorne, n'oubliez pas de mettre l'accent sur vos meilleures qualités et capacités. Le Capricorne s'intéressera à vous.

Les Capricornes veulent créer des bases solides dans leurs relations amoureuses ; par conséquent, ils ne perdent pas de temps dans des relations insignifiantes, ils n'errent pas de branche en branche et, s'ils montrent de l'intérêt, c'est qu'ils vous aiment vraiment. Au début, votre façon de tomber amoureux peut être assez traditionnelle ; vous ne voulez pas dépenser votre argent pour l'amour tant qu'il n'y a pas de sécurité. Si des sentiments naissent, le Capricorne commencera à se dévoiler et à devenir moins austère.

L'amant capricorne aborde la sexualité avec insistance et dévouement, les choses sont noires et blanches lorsqu'il s'agit de sexe.

Pour ce signe, il s'agit d'une expression de romance ou d'une soirée informelle. En l'absence de lien émotionnel, le sexe avec le Capricorne peut être stérile, presque comme une liaison avec un étranger. Mais lorsqu'il veut se laisser aller avec une personne à laquelle il est émotionnellement attaché, il montre sa monstruosité intérieure.

Le Capricorne est compétitif lorsqu'il s'agit de sexe, il vous demandera donc de lui raconter votre vie sexuelle, n'ayez pas honte car ce qu'il veut, c'est rivaliser ou s'améliorer.

Pour entretenir une relation avec un Capricorne, il suffit de se rappeler que pour lui, l'amour est comme une affaire et que, bien qu'il ne cherche pas à être ovationné comme d'autres, il exige le respect, surtout de la part de son partenaire.

Lorsque la relation dépasse la phase initiale, le Capricorne commence à approfondir le lien. Le Capricorne a besoin d'être avec quelqu'un en qui il peut avoir confiance et qui joue également le rôle de conseiller.

Pour ce signe, le travail est essentiel à la survie et constitue un exutoire productif pour ses luttes intérieures inconscientes.

Le Capricorne sera toujours reconnaissant d'avoir l'occasion d'exposer ses vulnérabilités à son partenaire, ce qui lui permettra de s'assurer non seulement un amant, mais aussi un ami.

Les Capricornes sont connus pour leur endurance et, dans une relation, ils s'attendent à ce que la traction de leur partenaire soit égale ou supérieure.

Ce désir n'est pas simplement d'être un partenaire puissant, mais de construire et de maintenir une qualité de vie que le Capricorne peut protéger. Rien n'est plus sexuel pour un Capricorne que le travail. Le Capricorne déteste les paresseux et si vous êtes comme cela, vous n'êtes pas son type.

Lorsque le Capricorne met trop de pression sur son partenaire, des ressentiments peuvent apparaître de part et d'autre. Pour éviter cela, il doit garder à l'esprit que chaque personne progresse à son propre rythme et, peut-être plus important encore, a sa propre définition de la réussite.

Si le Capricorne commence à la traiter comme une assistante, la relation peut prendre fin et, bien qu'il ne soit pas un menteur, si le Capricorne décide de partir, il analysera la situation comme une étude de marché, c'est-à-dire en explorant ses meilleures options pour conclure quel type de relation est le plus avantageux.

Après tout, pour cet administrateur astrologique, tout est une négociation, même les situations les plus émotionnelles peuvent être amorties par une bonne offre. Ne vous y trompez pas : si le Capricorne pense qu'une relation répond à ses attentes, il se battra pour elle jusqu'au bout.

Mais si vous constatez que les calculs ne donnent plus les chiffres escomptés, vous serez prêt à fermer le marché.

Il est honnêtement plus affectueux que son prestige ne le laisse supposer, mais il n'essaie jamais de convaincre quelqu'un de rester s'il n'est pas intéressé à aller de l'avant. Si vous avez la chance d'avoir un Capricorne, vous avez la garantie d'avoir un partenaire stable et fidèle.

Horoscope général pour Capricorne

Pluton en a presque fini avec vous, Capricorne, car 2024 est la dernière année où il sera dans votre signe. Pluton est dans votre signe depuis presque dix ans et a pris le contrôle de votre vie pendant cette période.

Cette année, vous continuerez à faire preuve de maîtrise de soi, vous aurez beaucoup d'énergie pour lancer de nouveaux projets et de nombreuses opportunités se présenteront à vous.

C'est l'année de l'amélioration de la confiance en soi.

Pendant les périodes de rétrogradation de Mercure, vous vous sentirez peu sûr de vous et penserez que vous ne disposez pas des ressources nécessaires. Cela peut créer beaucoup d'insécurité.

Pendant la pleine lune dans votre signe, de vieilles insécurités et de vieux problèmes minent votre confiance et votre capacité à être créatif. Concentrez-vous et faites de votre mieux pour vous améliorer.

L'année se termine avec la Nouvelle Lune dans votre signe ; vous terminerez donc l'année avec plus d'énergie pour vos objectifs de 2025. Vous aurez beaucoup d'enthousiasme pour saisir de nouvelles opportunités.

De tous les signes du zodiaque, c'est le vôtre qui sera le plus affecté par les événements lunaires en 2024. C'est une grande année pour vous, qui peut apporter des fins importantes et des débuts prometteurs.

2024 sera une année de bénédictions pour les Capricornes, car de nombreuses opportunités se présenteront à vous, mais aussi des défis dans votre vie amoureuse. Dans votre vie privée, quelques problèmes liés à votre partenaire se poseront. Des demandes en mariage apparaîtront au milieu de l'année pour les célibataires.

Une bonne communication et la confiance vous aideront à construire des relations plus saines. L'amour et la joie abondent dans vos relations. Des obstacles peuvent parfois surgir de la part de la famille et des amis, alors soyez fort.

Vous devez essayer de trouver un équilibre entre votre vie professionnelle et votre vie personnelle.

Les finances sont bonnes, mais vous devez économiser un peu. Vous aurez à faire face à des responsabilités professionnelles qui vous épuiseront physiquement et mentalement. Vous serez mentalement épuisé et stressé. Vous devriez vous débarrasser de votre rigidité innée et adopter une personnalité plus sensible ; ce changement pourrait vous permettre de vivre des expériences importantes. Vous n'avez pas besoin de prouver votre valeur au monde, votre attitude s'en chargera. Votre talent vous mènera au succès. Allez-y à petits pas et, avec la chance de votre côté, ce sera une excellente année pour vos finances.

Vous aurez de bonnes relations avec votre famille et vos amis. Faites confiance à vos proches et partagez avec eux.

Certains problèmes de santé peuvent perturber votre humeur, car vous pouvez vous sentir épuisé à certains moments. Vous pouvez souffrir de douleurs articulaires et d'épuisement nerveux en raison d'un régime de travail épuisant. Il est conseillé d'être attentif aux symptômes et de consulter un médecin avant que les problèmes ne s'aggravent. Un corps et un esprit sains devraient être l'objectif de votre vie. Essayez de maintenir un mode de vie sain et d'adopter des habitudes alimentaires saines tout en modifiant votre mode de vie. Éliminez le stress de votre vie.

Amour

Les questions de communication sont les plus importantes cette année. Vous aurez des conversations sérieuses et difficiles avec votre partenaire. Essayez d'être compréhensif et compatissant.

Pendant les périodes de rétrogradation de Mercure, des drames et des malentendus se produiront. Soyez très patient, il est important de rester calme.

Les problèmes de confiance peuvent détruire votre relation, si vous en avez une, et les soupçons peuvent conduire à une rupture. Vous devez être patient et garder les pieds sur terre.

Le sexe sera à l'ordre du jour dans la vie des célibataires. Ils devraient également essayer de se rapprocher de leur partenaire sur le plan émotionnel.

Uranus sera dans votre secteur amoureux tout au long de l'année, apportant des changements inattendus dans vos relations ; si vous êtes célibataire, vous aurez de nombreux prétendants.

Pendant les périodes de Pleine Lune, vous prendrez l'amour plus au sérieux et vous vous rapprocherez des personnes avec lesquelles vous avez un lien fort.

Pendant les périodes de Nouvelle Lune, vous pouvez officialiser de nouveaux engagements ou entamer de nouvelles relations.

L'économie

Capricorne, cette année, vous aurez d'innombrables occasions de démontrer votre talent au travail. Vous aurez le don de trouver facilement des solutions aux obstacles.

Une communication affirmée avec vos collègues et vos patrons vous mettra sur la voie du succès. C'est pourquoi vous devez améliorer vos compétences en matière de communication. Si vos objectifs financiers sont importants, vous devrez prendre plus de risques cette année. Parier sur tout est la seule façon de réussir.

Pluton transitera votre zone monétaire en 2024, perturbant vos schémas de comportement et vous obligeant à repartir de zéro si vous vous sentez insécurisé, instable, si vous manquez d'estime de soi et si vous ne savez pas ce que vous appréciez. Cela signifie que de l'argent ou des ressources matérielles peuvent vous être retirés pour vous forcer à apprendre.

Si vous étiez une personne sûre et stable, cette année pourrait vous permettre de mieux contrôler votre vie et de la rendre plus prospère.

Pendant les périodes de Nouvelle Lune, vous devriez vous concentrer sur la recherche d'opportunités financières, en vous rappelant de bien utiliser vos ressources.

Pendant les périodes de Pleine Lune, vous pouvez travailler à l'organisation de vos plans financiers et à la prise de décisions, ainsi qu'à l'élimination des blocages monétaires.

Cette année, vous pouvez cultiver votre façon de gagner de l'argent pour en gagner davantage et vous pouvez être beaucoup plus ingénieux avec ce que vous avez déjà. Vous pouvez créer plus d'abondance et d'opportunités pour une plus grande réussite financière.

Jupiter apportera de nouvelles opportunités de travail dans votre vie, vous recevrez des offres d'emploi ou commencerez de nouveaux projets professionnels. Si vous n'aimez pas ce que vous faites, c'est peut-être l'occasion de chercher un autre emploi ou une nouvelle profession.

Le 25 mars, une éclipse lunaire se produit dans votre secteur professionnel : c'est le moment de réaliser quelque chose d'important et d'obtenir une reconnaissance si vous avez fait les choses de la bonne manière et pour les bonnes raisons. Dans le cas contraire, vous risquez de subir des revers et des retards et de devoir réévaluer vos projets.

Le 2 octobre, une éclipse solaire dans votre sphère professionnelle vous rappelle que le moment est venu d'assumer de nouvelles responsabilités. Cette éclipse vous apportera également de nouvelles opportunités.

Famille

C'est une bonne année pour apporter des changements substantiels à votre maison, pour la rénover, la redécorer ou la remettre à neuf, ou pour retourner dans un endroit où vous avez *déjà vécu.*

C'est l'année où il faut jouer cartes sur table et fixer des limites avec sa famille, ce qui ne veut pas dire qu'il faut s'affronter, au contraire, les autres doivent comprendre vos priorités.

2024 sera une année de renforcement des liens familiaux.

Pendant les périodes de rétrogradation de Mercure, des problèmes surgiront à la maison et dans la famille. De petits conflits surgiront à la maison, vous vous sentirez mal à l'aise. La famille sera plus exigeante à votre égard, ce qui peut vous épuiser émotionnellement.

Les éclipses solaires permettent de se concentrer sur le foyer et de renforcer les liens familiaux.

Les périodes de pleine lune dans le domaine domestique et familial mettront en lumière les secrets de famille. En les résolvant, vous vous sentirez plus en sécurité sur le plan émotionnel. Vous devriez profiter des pleines lunes pour mener à bien des projets à la maison.

Capricorne Santé

2024 ne s'annonce pas comme une année pleine de complications. Un stress mal géré peut entraîner des malaises tels que la dépression et l'insomnie.

Le facteur principal est le régime alimentaire. Vous devez prendre soin de vos défenses, essayer de faire de l'exercice en permanence et faire attention à votre alimentation. Limitez la consommation d'aliments épicés et buvez plus d'eau.

Il est nécessaire de se soumettre à des examens médicaux de routine, d'aller chez le dentiste et de vérifier le taux de cholestérol.

Ils ont besoin de résoudre leurs problèmes émotionnels. Une bonne solution consiste à aborder les problèmes complexes avec un psychologue ou un thérapeute.

À la fin de l'année, vous serez obsédé par votre apparence physique et vous voudrez changer votre image. Essayez de ne pas vous angoisser, car c'est votre cœur qui souffre. Prenez soin de vos os et de votre peau et n'oubliez pas que votre dos est un peu fragile et que vous devez renforcer vos muscles.

Dates importantes pour le Capricorne

01/ 04- Mars entre en Capricorne.

01/11- Nouvelle lune en Capricorne

14/01- Mercure entre en Capricorne

20/01- Soleil conjonction Pluton en Capricorne

23/01- Vénus entre en Capricorne

22/06- Pleine Lune en Capricorne

09/01- Pluton entre en Capricorne

10/12- Pluton direct en Capricorne

11/ 11- Vénus directe en Capricorne

11/ 15- Saturne direct en Poissons

12/ 21- Le Soleil entre dans le Capricorne

Verseau

Le Verseau, symbolisé par le porteur d'eau qui donne vie à la terre, est un signe d'air honorable.

Progressistes et rebelles, ils sont là pour bousculer l'ordre. Le Verseau croit en la justice et l'équité et, pour ce penseur, tout est social ou politique.

Il pense que chaque action a une réaction et que, de même, tous ses choix reflètent une morale. Rebelle dans l'âme, ce signe d'air méprise l'autorité et est prêt à rejeter tout ce qui représente la convention.

Il croit sincèrement que les changements de perspective améliorent le bien commun et ne craint pas de sonner quelques cloches lorsqu'il s'agit de justice sociale.

Ce mode de vie atypique inspire son entourage et aime montrer qu'il est toujours possible de rêver grand. Si un projet est bloqué, le Verseau a la solution.

Le Verseau est gouverné par Uranus, la planète qui régit l'innovation, la technologie et les événements à fort impact.

Il a une réelle aptitude au progrès, c'est pourquoi on le qualifie souvent d'enfant prodige du zodiaque. Intelligent et avide de changement, il a toujours deux longueurs d'avance sur la société moderne. Son entêtement est son talon d'Achille.

La persévérance du Verseau est clairement liée à ses doctrines fortes et justes, et cette caractéristique est étouffée dès qu'il a l'occasion de proclamer un changement positif.

Le Verseau étant toujours très motivé par l'égalité, il aime travailler dans des groupes et des communautés de personnes partageant les mêmes idées.

Le Verseau a besoin de beaucoup d'espace pour réfléchir, former des idées et planifier son rôle dans la cause qu'il défend. La liberté, tant en théorie qu'en pratique, est très importante pour ce signe.

En fait, quiconque remet en question la liberté du Verseau est son adversaire. Comme on peut le constater, il est difficile pour le Verseau de tomber amoureux, car il se concentre sur la société dans son ensemble, et non sur le bavardage avec une seule personne. Cependant, même s'il ne veut pas l'admettre, c'est un individu au sang chaud qui a besoin d'affection.

Parce que le Verseau n'est pas un être physique, l'amour ressemble beaucoup à l'amitié, il aime sortir des sentiers battus et son approche des rencontres est donc peu conventionnelle.

Au lieu de faire des rencontres traditionnelles, envisagez quelque chose qui corresponde à vos intérêts personnels, mais n'oubliez pas que le Verseau pense que tous les intérêts et les passe-temps doivent refléter l'éthique d'une personne ; par conséquent, assurez-vous de découvrir exactement ce que vous aimez avant de faire des réservations.

La chose la plus importante à garder à l'esprit pour une histoire d'amour avec le Verseau est qu'il a besoin de beaucoup d'espace personnel. Le temps seul est essentiel pour ce signe, en fait il se rebelle s'il se sent enfermé.

En cas de doute, prenez du recul et attendez que le Verseau vienne à vous. Rappelez-vous que même s'il est distant, la vérité est qu'il vous aime beaucoup, il a juste sa propre façon d'exprimer ces sentiments.

Le Verseau est excentrique, il déteste donc être étiqueté et classé, et il est particulièrement enthousiaste à l'égard des personnes qui ont un style non conventionnel et qui combinent différentes apparences.

Avec sa tête si haute dans le ciel, il n'est pas étonnant que ce signe ait la réputation d'être indifférent lorsqu'il s'agit de relations intimes.

Cependant, bien qu'il soit souvent plus intéressé par l'abstrait que par les désirs charnels, ne vous y trompez pas car le Verseau aime le plaisir et sait ce qu'il veut.

Stimulez votre amant Verseau en échangeant les rôles, en expérimentant des désirs cachés et en explorant de nouvelles façons d'exprimer votre sexualité individuelle. Comme le Verseau est lié à la technologie, les appareils de plaisir les plus récents vous stimuleront davantage que vos fantasmes.

Bien qu'il soit difficile de concilier son besoin de liberté avec les exigences de la relation, lorsque le Verseau s'engage, il se rend compte que tout est une négociation.

Fondamentalement, il veut que les choses soient égales et que ses préférences ne dominent pas la relation. Par conséquent, lorsque vous avez une relation avec le Verseau, essayez de créer ensemble des paramètres différents.

N'oubliez pas qu'une séparation de temps en temps n'est pas nécessairement synonyme d'éloignement émotionnel ; une petite séparation permet d'approfondir l'amour et la confiance, jetant ainsi les bases d'une relation concrète.

Il est également important de garder à l'esprit que, bien que le Verseau exprime ses émotions de manière inhabituelle, il a des sentiments, fait de son mieux pour être un partenaire attentif et aimable et dépendra de votre soutien.

Horoscope général pour Verseau

Bienvenue à bord de l'Aquarius. 2024 sera une année de grand plaisir et tous vos souhaits seront exaucés grâce aux événements planétaires se produisant dans votre signe du zodiaque.

Au cours de cette année, vous vous concentrerez entièrement sur vous-même et définirez une nouvelle identité et des défis personnels sans vous laisser influencer par les attentes de votre entourage. Au cours de cette année, vous bénéficierez du soutien de votre famille et de vos amis.

Vos finances seront en dents de scie, vous devrez donc être prudent dans vos investissements financiers, car vous risquez de subir des pertes et des problèmes. Votre crédibilité pourrait être mise en péril, ce qui nuirait à votre prestige. Certaines personnes de votre entourage et collègues de travail vous décevront car ils vous exposeront à des intrigues et des mensonges. Essayez d'être patient face à ces situations afin que tout se termine bien.

Vous recevrez des leçons importantes au cours de cette année, alors soyez patient et ne vous préoccupez pas de choses insignifiantes.

Si vous étiez célibataire, vous pourriez rencontrer l'une de vos âmes sœurs et nouer des liens très profonds. Vous aurez de nombreuses occasions de réussir, mais vous devrez prendre d'importantes décisions professionnelles et certains devront peut-être se séparer de leur famille pour des raisons professionnelles.

Vous devez prendre soin de votre santé et être cohérent dans vos efforts pour créer de bonnes habitudes, éviter les mauvaises habitudes alimentaires et suivre une routine saine combinée à de l'exercice. Vous devez éviter tout ce qui est source de stress et de tension, car cela peut affecter votre santé émotionnelle. Si vous avez du mal à dormir et à vous reposer, ne prenez pas de médicaments, mais essayez de méditer.

Pluton reviendra dans votre signe en 2024, vous aidant à trouver votre pouvoir personnel et à renforcer votre volonté. Vous serez en mesure de cultiver vos passions, d'apporter plus d'abondance dans votre vie et d'être plus créatif. Vous aurez davantage confiance en vous et votre force sera puissante. Vous ne vous laisserez pas abattre par quoi que ce soit ou par qui que ce soit. Ce sera également bon pour les questions d'argent et peut augmenter votre prospérité. De nouvelles opportunités s'offriront à vous et un nouveau chapitre de votre vie pourrait s'ouvrir à vous.

Pendant les périodes de pleine lune, vous devriez prendre soin de vos besoins émotionnels, car vous pourriez être plus sensible et frustré. Prenez soin de vous et vous vous sentirez plus calme. Essayez de vous concentrer sur l'amour de vous-même et ne vous laissez pas abattre par les circonstances extérieures. Vous devez maintenir une certaine distance dans vos relations personnelles et émotionnelles afin de pouvoir gérer les engagements de manière consciente. Vous devez vous rendre compte que de nombreuses personnes ne pensent pas comme vous.

Les conflits familiaux appartiendront au passé, car des accords importants seront conclus à la maison.

Vous aurez plusieurs ruptures avec des personnes toxiques ; si vous avez un partenaire, il y aura beaucoup de hauts et de bas parce qu'une troisième personne interviendra dans vos décisions. Il est important que vous résolviez ce conflit.

Si vous n'avez pas de partenaire, c'est l'année pour combler les lacunes sentimentales et retomber amoureux.

Pendant les périodes d'éclipse, utilisez toutes vos connaissances professionnelles pour tracer votre chemin. Ne feignez pas l'ignorance par peur de ne pas exprimer ce que vous savez, mais montrez que vous êtes des professionnels.

Amour

Une année pleine d'amour, au cours de laquelle vous vous rendrez compte que les maux de tête n'ont pas de sens lorsque vous avez de bonnes personnes à vos côtés.

Si vous n'avez pas de partenaire, une mélancolie vous empêche d'aller de l'avant et de faire de nouvelles rencontres. Le goût d'un amour passé vous a laissé une blessure profonde. Vous méritez mieux et quelqu'un entrera dans votre vie pour vous le faire comprendre.

Tout amour passé doit être oublié et, lorsque la passion entrera dans votre vie, vous regretterez de ne pas avoir osé briser ces schémas plus tôt.

Ceux qui ont un partenaire en bénéficieront au cours de l'année, car ils laisseront derrière eux les rancunes causées par les différences ou les erreurs commises par l'autre, une année plus positive en termes de romance et de passion. Bien sûr, il y aura de petits malentendus qui mettront le couple mal à l'aise, mais tout sera résolu après de longues discussions et des accords qui profiteront aux deux parties.

L'économie

Cette année, vous avez l'occasion de consolider votre économie et d'acquérir des compétences supplémentaires dans votre profession qui vous permettront de réussir.

Si vous êtes à la recherche d'un emploi, utilisez toutes vos ressources pour le trouver et vous pourriez même obtenir une recommandation de la part de quelqu'un que vous connaissez. La meilleure façon de réussir est de s'adapter aux changements et de résoudre les problèmes, mais sans perdre patience.

C'est une année d'abondance, au cours de laquelle vous pourrez acheter quelque chose de précieux dont vous avez toujours rêvé, probablement une maison ou investir dans une entreprise. Certains défis financiers peuvent être surmontés grâce à votre créativité.

Les problèmes d'argent peuvent être résolus en établissant un budget et en trouvant des moyens de mieux gérer vos ressources. Vous pouvez recevoir un bonus ou avoir de la chance dans un jeu.

Vous pouvez décider d'acheter une nouvelle voiture ou recevoir des avantages ou des opportunités par le biais de courts voyages, de messages, de courriels ou de contacts avec des collègues et des voisins. Restez à l'affût des opportunités.

Famille

Vous serez indispensable à votre famille, ce qui vous privera d'une grande partie du temps que vous pourriez consacrer aux loisirs. Votre sens des responsabilités sera sollicité au maximum et vous aurez l'occasion d'être un modèle, ce que vous aimez faire. N'oubliez pas que votre famille doit savoir qu'elle peut compter sur vous ; si vous apparaissez distant et supérieur, ce sera difficile.

Uranus traversera votre zone d'habitation, ce qui pourrait entraîner des changements dans votre vie familiale. Vous pourriez également déménager dans une maison plus grande lorsque Jupiter transitera cette zone au début du mois de mai.

Pendant la pleine Lune, vous achèverez des projets domestiques, mais vous devrez peut-être aussi résoudre des problèmes familiaux.

Vous subirez une métamorphose psychologique et assisterez à un renouveau spirituel au niveau familial.

Santé du Verseau

Cette année, vous vous rendrez compte que vous avez pris de mauvaises décisions, mais ne vous laissez pas abattre. Vous devez grandir, mûrir, oser changer votre mode de vie et prendre des décisions plus fermes pour atteindre une santé optimale.

Il peut être nécessaire d'aller au bloc opératoire, mais il s'agit d'une opération mineure et le rétablissement est rapide.

Vous devez purifier et nettoyer votre corps, prendre soin de votre côlon, de votre estomac et de votre vésicule biliaire. Vous devriez consulter un chiropraticien pour ajuster vos os grâce à la réflexologie. La pratique du yoga et de la méditation vous aidera à rééquilibrer votre corps physiquement et spirituellement.

Vous devez avoir des relations sexuelles avec modération, dormir suffisamment et vous déconnecter de vos responsabilités.

Dates importantes

01/20 Le Soleil entre dans le Verseau

21/01 Pluton entre dans le Verseau

02/ 09- Nouvelle lune en Verseau

13 février - Mars entre dans le Verseau

16 février - Vénus entre dans le Verseau

05/02- Pluton rétrograde en Verseau

06/ 29- Saturne rétrograde en Poissons

19/08- Pleine lune en Verseau

11/ 19- Pluton entre en Verseau

Poisson

Les Poissons sont symbolisés par deux poissons nageant en sens inverse, reliés par un fil invisible, représentant leur existence à la croisée des chemins entre l'utopie et la réalité.

C'est le dernier signe du zodiaque et, pour cette raison, les Poissons ont accumulé toutes les leçons des onze signes principaux.

C'est le signe le plus spirituel de la roue zodiacale. Gentil et courtois, mais rude comme un spécimen vivant dans les eaux profondes de l'océan.

Le flou des Poissons est régi par Neptune, la planète qui contrôle la créativité et les rêves, ainsi que l'utopie et l'évasion. Neptune est luxueux, fascinant, mais peut parfois être effrayant.

Ces propriétés se retrouvent chez les Poissons. En tant que signe d'eau, il possède une énorme profondeur multidimensionnelle et une magie qui le rend séduisant pour les autres.

Tout comme la mer alterne ses vagues : tantôt calme, fantasmant sur le lendemain et réfléchissant sur les âmes et les événements de sa vie, tantôt énergique et violente, libérant ses sensibilités les plus intimes dans des courants grandioses.

La mer étant une force puissante et dangereuse, préparez-vous à toutes les frayeurs qui vous attendent avant de partir à la conquête des Poissons.

Dévoué à sa méthode, le Poisson ne craint jamais de changer d'avis ; au contraire, il apprécie l'opportunité d'adopter de nouvelles approches et de nouvelles idées.

Les Poissons ne sont pas rancuniers, ils peuvent avoir le plus grand conflit du monde et l'effacer complètement de leur esprit. Les Poissons aident également les autres à voir la vie sous de nouvelles perspectives et vous pouvez compter sur eux pour vous aider en toute circonstance.

Toujours à la recherche de nouvelles façons d'élargir ses horizons, le Poisson aime libérer sa spiritualité à travers des coutumes qui modifient son imagination, même s'il s'agit de poursuivre une sirène dans un marais, car, en tant que signe suprême du zodiaque, il a la certitude que la réalité est bien intangible. Ce signe est une éponge émotionnelle qui attire définitivement tout ce qui l'entoure, même ce qui existe sur le plan subtil.

Avec une telle empathie, avant de s'engager dans une nouvelle relation, les Poissons devraient prendre le temps d'examiner ce qu'ils ressentent vraiment, de noter toute gêne et, si les choses semblent étranges, il est très probable qu'ils aient absorbé des énergies sombres du champ aurique de l'autre personne.

Si le Poisson peut identifier la source de cette tension, il lui sera plus facile de reconnaître comment les sentiments des autres l'affectent physiquement.

Cela peut vous aider à vous concentrer sur la définition des lignes et à éviter d'être submergé par les difficultés des autres à l'avenir.

Le Poisson est une âme douce, affectueuse et pure, animée par les rêves, la musique et l'amour. Sortir avec un Poisson, c'est comme plonger dans les profondeurs du grand océan, excitant et mystérieux.

Les Poissons sont instinctivement attirés par les personnes non conventionnelles qui marchent au rythme de leur propre tambour. Toutefois, cela ne signifie pas que votre partenaire idéal est un paria.

Les Poissons préfèrent les partenaires liés à des communautés innovantes et libérales. Pour un rendez-vous avec les Poissons, pensez à visiter un opéra, une galerie d'art ou à vous inscrire à un atelier artistique.

Il est influencé par les expériences, en particulier celles qui impliquent les pouvoirs non oraux et non corporels ; en effet, toute expérience avec les Poissons spirituels est confirmée comme impliquant une exploration subjective profonde.

Avec le temps et l'interaction, vous pouvez découvrir exactement quel type de pratiques le partenaire de ce signe peut ou ne peut pas tolérer, mais au début de votre engagement, évitez tout ce qui est exorbitant.

Cette créature perspicace ne tolère aucune impolitesse.

Avec cette remarquable personnalisation spirituelle et affective, l'accouplement des Poissons est profondément sentimental ; cette créature des eaux profondes conçoit les relations intimes comme l'alliance de deux âmes sublimes et propres.

Les Poissons peuvent avoir des relations sexuelles non planifiées, mais ils choisissent d'être avec quelqu'un qu'ils aiment sincèrement avant de tomber si bas.

Il est difficile pour ce signe sensible de créer des limites, car il n'y a pas de limites dans la mer. Avoir une relation occasionnelle avec les Poissons, c'est comme voyager dans une autre galaxie, et il est beaucoup plus difficile d'embarquer dans leurs marées dans le cadre d'une relation établie.

Structurer une relation durable avec les Poissons est un art, qui exige de l'intrépidité, du dynamisme et de l'adaptabilité. Les Poissons opèrent dans une réalité qui leur est propre, il n'est donc pas surprenant que ce signe d'eau rêveur puisse être un peu rude sur les bords.

Il se peut qu'il fasse des projets d'avenir avec vous, qu'il veuille acheter une maison ou avoir un enfant, puis qu'il change d'avis après un certain temps.

C'est décevant, mais il ne sert à rien de confronter les Poissons à leur comportement malhonnête, car ils n'ont pas de cadre émotionnel, leur seule protection est de s'enfuir à la nage et, si vous ne le saviez pas, les Poissons ont tendance à quitter le navire à la moindre attaque.

Dans une relation, les Poissons doivent accepter de communiquer les émotions de leur partenaire. Il peut être difficile pour eux d'admettre quelque chose qu'ils ne veulent pas entendre, mais la communication est la clé du maintien de la relation.

Si vous sentez que votre partenaire Poissons commence à s'éloigner, la musique est un moyen de l'attirer.

À première vue, cela semble simple, mais les objets personnalisés gagneront sûrement le cœur de ce petit poisson et contribueront à rétablir la confiance dans votre relation.

Cependant, si une relation atteint un point de non-retour, les Poissons s'isolent discrètement.

Il préfère ne pas affronter le problème, de sorte que la forme de rupture qu'il préfère est souvent vague et non définitive.

Horoscope général des Poissons

Si vous souhaitez changer radicalement de vie, créer votre propre entreprise ou votre propre autonomie et affirmer votre individualité, c'est l'année qu'il vous faut.

L'influence des planètes vous rend intrépide et courageux, mais aussi sujet aux accidents. Tous les accidents seront le résultat de vos actions irréfléchies ou impulsives, car votre désir sera de vous aventurer sans tenir compte des conséquences ou des avantages et inconvénients qui peuvent survenir en cours de route.

Les autres auront tendance à vous qualifier d'égoïste ou d'égocentrique, ce qui n'est pas toujours faux, car vous serez plus intéressé par vos propres affaires que par celles des autres. Vous serez également beaucoup plus autoritaire qu'auparavant et aurez tendance à imposer vos opinions.

C'est une année où vous réussirez à atteindre les objectifs que vous vous êtes fixés. Vous ferez preuve d'une grande cohérence et d'une grande autorité pour imposer vos idées. Vos ambitions seront fortes et précises et vous ne céderez pas à la peur ou à l'insécurité.

Il est important que vous fassiez preuve de discernement et que vous choisissiez les objectifs prioritaires et les objectifs secondaires. Ordre, méthode, organisation et travail constant sont les mots clés de la réussite cette année.

Vous risquez également de rencontrer des problèmes difficiles à résoudre, des adversaires qui remettent en question vos capacités, ou d'avoir affaire à des patrons ou à des personnes en position d'autorité qui ne sont pas très logiques et qui constituent un obstacle à votre vie.

Le destin mettra à l'épreuve votre ténacité et votre confiance. Le succès ne viendra pas de la chance, mais d'un travail acharné.

A la maison, vous trouverez un environnement aimant et encourageant. Ne laissez pas vos ambitions et les questions matérielles prendre le pas sur votre côté affectif.

Neptune restera dans votre signe pendant toute l'année 2024, amplifiant l'énergie naturelle des Poissons, vous rendant plus intuitif, spirituel, imaginatif, compatissant, empathique et créatif. Saturne sera également dans votre signe pendant toute l'année 2024, limitant une partie de cette énergie, vous obligeant à être plus concentré et à garder le contrôle.

En 2024, vous exercerez plus de responsabilités, grâce à Saturne, et cela pourra vous sembler contraignant et étouffant par moments, mais vous aurez peut-être des leçons à apprendre qui vous aidera à grandir d'une nouvelle manière.

Pendant les périodes de Nouvelle Lune, vous aurez l'occasion de prendre l'initiative et d'aller au bout de vos désirs. N'oubliez pas d'être discipliné et peu pressé avec Saturne, tout en écoutant votre intuition avec Neptune.

Les éclipses lunaires peuvent être des moments finaux. Il peut s'agir d'un grand final, de quelque chose sur lequel vous travaillez depuis un certain temps et que vous êtes prêt à terminer, ou vous pouvez libérer ou laisser partir quelque chose d'important qui vous retenait où vous pesait.

Vous pourriez voir les résultats de votre travail, ce qui signifie que vous serez récompensé si vous avez fait les choses de la bonne manière et pour les bonnes raisons, ou vous pourriez avoir des revers si vous devez changer votre approche. Les émotions peuvent être fortes et profondes et vous devrez peut-être prêter plus d'attention à vos désirs et à vos besoins.

Poissons 2024 vous apporte de nombreux changements positifs, c'est une période où vous irez de l'avant et aurez l'occasion d'exercer votre plein potentiel tout au long de l'année grâce aux vibrations positives qui vous entourent. Cette année marque le début d'une nouvelle vie pour les Poissons.

Le travail acharné et le dévouement vous permettront de terminer l'année avec succès.

Concentrez-vous sur l'avenir et saisissez les opportunités qui se présenteront à vous cette année. Évitez les soucis et les angoisses qui peuvent vous épuiser. Canalisez votre énergie dans des domaines positifs et équilibrez votre vie.

Amour

Cette année sera pleine d'aventures, d'engagements émotionnels et de responsabilités qui peuvent révéler une autre facette de votre personnalité. Vous vous sentirez peut-être dépassé par les événements qui vous entourent, mais avec le temps, vous vous adapterez au rythme de la vie.

Votre vision des relations et de l'équilibre entre vie professionnelle et vie privée peut changer de manière significative lorsque vous entrez dans une nouvelle phase de votre vie.

Pendant les périodes de pleine lune, vous prendrez vos engagements plus au sérieux. Il se peut que vous vous engagiez davantage sur le plan émotionnel. Si vous sentez que vous n'avez pas une bonne connexion avec quelqu'un, vous pouvez ressentir le besoin de vous éloigner complètement.

Lorsque la Nouvelle Lune se produit dans votre secteur amoureux le 5 juillet, vous recevrez plus d'amour dans votre vie. Vous pourrez passer plus de temps avec les personnes que vous aimez et partager l'amour que vous ressentez. Si vous êtes en couple, cela pourrait vous apporter plus de romance. Si vous êtes célibataire, vous pourrez attirer l'attention et vous amuser.

Pendant les périodes de rétrogradation de Mercure, les problèmes relationnels existants peuvent s'aggraver.

Si vous êtes célibataire, vous vous concentrerez surtout sur votre épanouissement personnel, ce qui signifie que vous ne serez pas très intéressé par la recherche de l'âme sœur en 2024.

C'est peut-être l'année où vous commencez à fréquenter plusieurs personnes à la fois pour les comparer les unes aux autres. Il n'y a rien de mal à cela, mais veillez à ne pas commettre d'erreurs pour éviter d'envoyer un SMS à la mauvaise personne ou de vous rendre au mauvais endroit au mauvais moment.

Si vous avez un partenaire, des problèmes de communication peuvent survenir, il est donc essentiel d'exprimer honnêtement vos sentiments. En outre, de vieilles blessures et des émotions non résolues peuvent refaire surface, vous obligeant à les affronter et à les guérir. N'oubliez pas que ces défis sont autant d'occasions de grandir et qu'ils renforceront votre amour.

Au fur et à mesure que l'année avance, préparez-vous à des événements inattendus dans votre vie amoureuse. Un ancien amour pourrait se raviver ou vous pourriez croiser le chemin d'une personne que vous pensiez avoir quitté vos rêves. Accueillez ces rencontres à cœur ouvert, car elles ont le potentiel de changer votre vie amoureuse de façon extraordinaire.

L'économie

L'année 2024 est un voyage sur les marées de la prospérité, car votre attention se portera sur le domaine monétaire. Cette année promet des vagues d'opportunités et votre créativité innée et votre nature intuitive seront des atouts précieux dans le monde financier. Vos idées novatrices peuvent conduire à des flux de revenus inattendus et les investissements réalisés avec organisation peuvent donner d'excellents résultats.

Cependant, des dépenses imprévues ou des difficultés financières peuvent survenir. Il est essentiel d'avoir un budget et d'épargner pour les jours difficiles. Vous devez vous méfier des entreprises risquées et vous rappeler que toutes les opportunités ne sont pas aussi prometteuses qu'elles le paraissent.

Évitez les dépenses impulsives et respectez un plan financier. L'intuition peut aider à prendre des décisions financières, mais elle peut aussi conduire à des achats impulsifs motivés par les émotions. Il est essentiel de trouver un équilibre entre le cœur et le portefeuille. Réfléchissez avant de prendre des engagements financiers importants.

Envisagez d'allouer des ressources à votre développement personnel ; investir dans votre formation pourrait vous permettre de bénéficier d'une croissance financière à long terme. Cette année pourrait être celle où l'acquisition d'une nouvelle compétence sera très gratifiante, augmentant votre potentiel financier ou vous ouvrant de nouvelles perspectives de carrière.

Pendant les périodes de Pleine Lune, vous verrez les résultats du travail que vous avez accompli et vous vous efforcerez de lever les blocages qui vous ont empêché d'aller de l'avant.

Pendant les périodes de rétrogradation de Mercure, vous aurez beaucoup d'énergie et de concentration, ce qui vous permettra de ramener l'abondance dans votre vie. Vous pourrez également relancer des projets professionnels ou reprendre un ancien projet qui ne s'est jamais concrétisé.

Il est important que vous effectuiez un travail qui vous implique émotionnellement, qui vous passionne, qui vous donne du plaisir et qui vous satisfait, sinon cette année pourrait être très difficile sur le plan professionnel. Si ce n'est pas le cas, 2024 vous obligera probablement à changer.

Famille

Cette année promet un mélange d'amour, de croissance et de défis dans votre vie familiale, vous donnant l'occasion de surmonter les obstacles.

Quelqu'un va entrer dans votre famille et rafraîchir l'atmosphère, en apportant l'énergie dont tout le monde a besoin. Son approche sera exactement à l'opposé de la vôtre, mais il apportera harmonie et connexion à votre famille.

Votre compassion naturelle et votre nature empathique se manifesteront de manière éclatante, vous permettant de jouer un rôle de pacificateur dans les désaccords familiaux.

Toutefois, attendez-vous à des désaccords ou à des malentendus. Votre nature empathique peut vous amener à absorber le fardeau émotionnel des autres, ce qui peut nuire à votre bien-être. Il est essentiel de fixer des limites et de communiquer ouvertement pour surmonter ces difficultés et maintenir l'harmonie au sein de la famille.

Envisagez de participer à des activités communes pour renforcer l'unité de votre famille. Acceptez le changement comme une opportunité de transformation positive pour votre famille, en favorisant un climat de compréhension.

Accordez la priorité au temps de qualité avec vos proches. Débranchez-vous des distractions.

Santé des poissons

En 2024, les étoiles s'alignent pour vous donner beaucoup d'énergie et de vitalité, ce qui vous permettra d'avoir une bonne santé et aussi beaucoup d'enthousiasme.

C'est une excellente année pour mettre en place une routine d'exercice adaptée à vos préférences. Une alimentation équilibrée et une bonne hydratation contribueront à votre bien-être. Les soins personnels doivent être votre priorité.

Le stress et les fluctuations émotionnelles doivent être gérés, leur nature empathique peut conduire à l'épuisement émotionnel, il faut donc fixer des limites.

Le surmenage peut nuire à votre santé. Veillez donc à prendre régulièrement des pauses et des vacances pour recharger votre énergie. Accordez la priorité à un sommeil suffisant et à l'exploration de pratiques holistiques.

Vous pouvez avoir des problèmes digestifs et prendre du poids.

Dates importantes

19/02 Le Soleil entre en Poissons

23/02 Mercure entre en Poissons.

28/02 Soleil conjonction Saturne en Poissons.

03/10 Nouvelle lune en Poissons

17/03 Soleil conjoignant Neptune en Poissons.

22/03 Mars entre en Poissons.

29/06 Saturne rétrograde en Poissons

07/02- Neptune rétrograde en Poissons

18/09- Pleine Lune et éclipse partielle de Lune en Poissons.

15/11 Saturne direct en Poissons

12/07 Saturne direct en Poissons.

Introduction Anges

Les anges sont des êtres de lumière qui ont pour mission de nous aider à évoluer et de nous protéger des dangers. Chacun est protégé par un Ange, ou plusieurs Anges, en fonction de sa date de naissance. Votre Ange gardien veille à votre réussite en amour, au travail et dans les autres domaines de votre vie.

Parfois, nous sommes tellement plongés dans une vie stressante que nous oublions que nous sommes accompagnés par des êtres de lumière qui attendent que nous leur demandions de l'aide. Lorsque nous prenons conscience de leur présence et que nous décidons de profiter du cadeau que représente leur présence dans notre vie, notre monde se remplit de magie.

Cet horoscope des anges 2024 contient de nombreux messages spirituels à votre intention. Si vous vous sentez perdu ou si vous vous demandez quelle est votre mission en cette année 2024, vous trouverez ici les réponses. Si vous avez acheté ce Balance, c'est que l'univers essaie de vous dire quoi faire et où aller. Tout ce que vous avez à faire est de découvrir les messages cachés que les Anges vous ont envoyés dans ce Balance.

Les anges existent depuis des milliers d'années dans différentes cultures et civilisations. Ils ont des pouvoirs spéciaux et ont contribué à l'évolution humaine, au changement et au développement de notre société. Les Anges Gardiens seront présents dans votre vie en 2024 pour vous protéger, renforcer vos liens avec le monde spirituel et vous apporter de nombreux miracles.

Archange pour votre signe du zodiaque

Chaque signe du zodiaque a un archange mentor qui le supervise.

Lorsque vient le moment de se réincarner, nous choisissons le signe du zodiaque le plus approprié pour apprendre des leçons de vie qui nous apporteront plus d'expériences pour notre évolution.

Les Archanges nous aident à choisir le signe du zodiaque qui correspond au but de notre âme.

Bélier. Archange Chamuel

L'archange Chamuel signifie "celui qui voit Dieu" et est lié à l'initiative et à la passion, deux qualités très fortes dans le signe du Bélier. Ce signe est infatigable et ne s'arrête pas avant d'avoir atteint ses objectifs.

L'Archange Chamuel donne aux Béliers le pouvoir de décision et l'enthousiasme nécessaires pour atteindre leurs objectifs. Cet Archange est également connu sous le nom de Samael, Chamuel ou Camuel, et est l'Ange de l'harmonie, de la confiance, de la puissance et de la diversité.

Cet archange confère au signe du Bélier une personnalité affirmée et fiable.

Le Bélier est un signe extraverti, impétueux et enthousiaste face aux défis. Il est impatient et se met facilement en colère, mais n'est pas rancunier.

L'Archange Chamuel appartient au Rayon d'Or, à la planète Mars et au jour mardi.

Le message de l'Archange Chamuel au Bélier est le suivant :

Seule l'énergie de l'amour au sein d'un objectif donne une valeur et un bénéfice durables.

Le quartz rose est lié aux énergies curatives de l'archange Chamuel et peut être utilisé pour la guérison émotionnelle en invoquant son nom ou sa présence, car il est spécialisé dans la guérison émotionnelle.

L'Archange Chamuel dirige tous les Anges de l'Amour. Ils donnent au Bélier de la compassion et de l'amour lorsqu'il le demande. Chamuel peut vous aider dans vos relations, surtout en cas de conflits, de complications émotionnelles ou de ruptures. L'Archange Chamuel peut vous aider à trouver votre âme ou votre flamme jumelle et dans toutes les circonstances qui nécessitent une communication spontanée.

Chamuel peut vous aider à construire des structures solides et saines, à améliorer votre capacité à aimer, afin que vous puissiez donner et recevoir de l'amour de manière totalement inconditionnelle.

Chamuel dissout les sentiments de manque d'estime de soi, aide à trouver son but et sa mission d'âme.

L'archange Chamuel représente la force d'affronter et de surmonter les défis de la vie. Si vous ne savez pas ce que vous voulez, Chamuel vous conduira vers des environnements qui vous apporteront la paix, en vous aidant à relâcher les tensions et le stress. L'archange Chamuel est le protecteur des faibles et des humiliés.

Comme l'archange Chamuel voit dans toutes les directions du temps, c'est-à-dire en trois dimensions, il peut vous aider à trouver des choses qui vous ont échappé.

Invoquez l'archange Chamuel si vous vous sentez triste : il vous aidera à guérir, à soulager la douleur et l'incapacité à pardonner.

Pour invoquer ou évoquer l'aide à la guérison émotionnelle avec l'Archange Chamuel, il faut allumer des bougies roses ou placer des roses sur les bougies et demander la guérison.

Tous les Archanges ont une place exclusive sur le plan éthérique de la Terre et vous pouvez trouver leurs sanctuaires par la méditation ou dans vos rêves. Le temple éthérique de l'Archange Chamuel est situé à St Louis, Missouri, USA.

Taureau. Archange Haniel

L'Archange Haniel gouverne le signe du Taureau, ce qui renvoie aux caractéristiques d'intégrité, de confiance et de pragmatisme. Le nom de l'Archange Haniel signifie "grâce de Dieu" et il est l'Ange de l'intellect.

Haniel est lié à la planète Vénus et au vendredi.

Le Taureau est un signe qui aime le confort matériel, le luxe et les produits de qualité. Il est prospère dans de nombreux domaines, mais surtout dans celui de la finance.

Le Taureau est un signe très despotique qui doit apprendre la patience. Il a un penchant naturel pour la stabilité, mais doit veiller à ne pas tomber dans le piège du matérialisme.

L'archange Haniel est également connu sous les noms de Anael, Anafiel et Daniel. Ses couleurs sont l'orange et le blanc.

Cet archange est relié aux rayons blanc et orange.

Haniel a une énergie qui nous pousse à rechercher la sagesse spirituelle, car il est aussi l'Ange de la Communication Céleste et travaille avec les énergies de groupe et les orateurs. C'est un Archange relié à la

Lune, il se connecte donc à nous à travers des visualisations et des rêves récurrents. L'Archange Haniel aide à transmuter les vibrations et les énergies sombres et offre sa protection. Il nous accompagne dans les nouveaux départs, dans les phases de transition de notre vie.

Cet Archange apporte l'inspiration dans nos vies, enseigne des leçons et supervise la guérison spirituelle et les différents types de religion. L'Archange Haniel récupère les secrets perdus, harmonise les relations et apporte la beauté en toutes choses. Haniel guérit l'envie, la colère et la jalousie.

L'archange Haniel vous communique des informations sur votre profession et vos relations. Il t'aide sur ton chemin spirituel et t'incite à trouver le but de ta vie. Il t'incite à regarder à l'intérieur de toi et à trouver ta vérité personnelle, car c'est ainsi que tu pourras te défendre.

L'archange Haniel vous aide à vivre dans le présent, à voir la réalité et à reconnaître vos talents et vos capacités.

L'Archange Haniel vous rappelle qu'il est de votre responsabilité d'être en bonne santé mentale et physique. Cet Archange est associé à la guérison par le quartz et les huiles essentielles, c'est pourquoi il supervise les médecins homéopathes. Cet Archange puissant a le pouvoir de transformer la tristesse en bonheur.

Cet archange agit sur les déséquilibres du champ énergétique et apporte la guérison au niveau émotionnel, spirituel et physique.

C'est un archange guerrier qui nous aide à réaliser le but de notre âme, en nous guidant à travers des révélations, des visions et des synchronicités angéliques.

Lorsque vous vous sentez confus ou déprimé, invoquez l'archange Haniel pour qu'il vous donne le don de la persévérance.

Gémeaux. Archange Raphaël

Les Gémeaux sont protégés par l'Archange Raphaël, c'est pourquoi ce signe du zodiaque est si adaptable et sociable.

Raphaël est l'un des principaux anges guérisseurs et guide les guérisseurs.

L'archange Raphaël gouverne la planète Mercure et le jour du mercredi.

Les Gémeaux sont très intelligents et leur outil le plus précieux est leur esprit. Les Gémeaux sont très polyvalents et cette attitude draine leur énergie, conduisant parfois à l'épuisement nerveux et à l'anxiété. Les Gémeaux ont une soif insatiable d'apprendre et leur esprit est très curieux.

L'archange Raphaël est relié au rayon vert. Les pouvoirs de guérison de Raphaël se concentrent sur la dissolution des blocages et leur transmutation en amour.

L'archange Raphaël est connu pour être le chef des anges gardiens et le patron de la médecine, c'est pourquoi on l'appelle aussi l'archange de la connaissance.

Raphaël est également le saint patron des voyageurs et aide à guérir spirituellement et physiquement non seulement les humains, mais aussi les animaux.

Cet archange Raphaël peut vous aider à développer votre intuition et à améliorer votre visualisation créative. Il vous met en contact avec votre spiritualité personnelle et vous permet de trouver la guérison dans la nature. L'émeraude est le quartz de guérison associé à l'Archange Raphaël.

L'Archange Raphaël travaille sur votre subconscient afin que vous puissiez vous libérer de la peur et de l'obscurité. L'équipe des Anges Guérisseurs est dirigée par l'Archange Raphaël ; ces énergies de l'Archange Raphaël et de ses Anges Guérisseurs peuvent être invoquées dans les hôpitaux et dans les circonstances où il y a une personne malade qui n'est pas connue pour souffrir d'une maladie.

L'Archange Raphaël concentre ses énergies de guérison sur la dissolution des blocages dans les chakras qui causent des maladies et aide à éliminer les dépendances.

Raphaël guérit les blessures des vies antérieures, effaçant tout le karma familial hérité.

Vous pouvez invoquer l'Archange Raphaël chaque fois que vous ou quelqu'un d'autre souffre d'une maladie physique, il interviendra directement et vous guidera vers la guérison.

L'archange Raphaël vous rappelle que la guérison passe par le pardon et qu'il est étroitement lié aux guérisseurs de lumière. Raphaël veille à ce que tout ce qui est nécessaire à une guérison réussie apparaisse.

Invoquer l'Archange Raphaël pour être protégé et guidé vous aidera à libérer votre énergie et à vous concentrer. Pour invoquer le pouvoir de guérison de l'Archange Raphaël, allumez des bougies vertes ou jaunes et obtenez des résultats immédiats.

L'Archange Raphaël n'est pas limité par le temps et l'espace et il est capable d'être simultanément avec tous ceux qui invoquent sa présence. Il vient à vos côtés dès que vous lui demandez de l'aide.

Cancer - Archange Gabriel

L'archange Gabriel protège le signe du Crabe. Il règne le lundi.

Le Cancer est un signe très empathique et sensible. Ils semblent gentils, mais ils sont actifs. La famille est la chose la plus importante pour les Cancers.

L'archange Gabriel est connu comme l'ange de la résurrection, l'ange de l'harmonie et de la joie. Il a annoncé la naissance de Jésus-Christ et a communiqué avec Jeanne d'Arc.

L'archange Gabriel lui apprend à rechercher l'aide des anges par la méditation et les rêves et à se soucier de l'humanité dans son ensemble.

Gabriel est l'Archange de l'esprit ; il peut être invoqué lorsque nous avons des problèmes mentaux, pour nous aider à prendre des décisions.

L'Archange Gabriel est le protecteur des émotions et de la créativité. Lorsque nous luttons contre les abus, les dépendances, les familles dysfonctionnelles et pour l'amour, c'est l'Archange Gabriel que nous devons invoquer.

L'Archange Gabriel vous offre la spiritualité et élève votre esprit. Il vous met en garde contre les énergies qui vous entourent.

Gabriel connaît le but et la mission de votre âme, sa mission est de vous aider à comprendre quelles sont vos obligations contractuelles dans cette incarnation.

L'Archange Gabriel augmente la créativité, l'optimisme, dissipe les peurs et donne de la motivation. Gabriel purifie et élève vos vibrations, vous guide dans votre vie et vous aide à vivre fidèlement, en honorant vos talents et vos capacités.

Gabriel vous rappelle que chacun contribue au développement de l'humanité en étant ce qu'il est. Il veut que vous soyez ferme dans vos convictions.

Cet archange vous aidera à connaître la vérité dans les situations de conflit, vous donnera plus de perspicacité et de discernement.

L'Archange Gabriel est un Ange de la Connaissance, lié aux leaders spirituels, qui nous instruit sur nos talents et nous montre les symboles de la mission de notre âme, afin que nous puissions attirer les connexions et les opportunités parfaites.

Invoquez l'archange Gabriel pour nettoyer et purifier votre corps et votre esprit des pensées négatives. Tournez-vous vers lui pour qu'il vous aide dans toutes les formes de communication, y compris la capacité de parler et de vous faire de nouveaux amis.

Lion - Archange Michael

L'archange Michel est le chef des armées célestes et protège le signe du Lion. Son nom signifie "celui qui est comme Dieu" et il est le symbole de la justice. Il est considéré comme le plus grand de tous les archanges.

L'Archange Michael travaille avec le Rayon Bleu et règne le dimanche. Michael aide à la communication et est connu comme le Prince des Archanges.

Le Lion est un signe qui possède d'excellentes capacités d'organisation et qui est toujours prêt à rechercher le succès. Il est compétitif et loyal envers ses proches.

L'archange Michael vous aide à prendre conscience de vos pensées et de vos sentiments et vous encourage à agir. Michael vous offre protection, confiance en soi, force et amour inconditionnel.

L'Archange Michael a pour mission de nous libérer de la peur, de la négativité, du drame et de l'intimidation. Cet Archange a pour mission de démanteler toutes les structures dysfonctionnelles, telles que les systèmes gouvernementaux et les organisations financières corrompues.

Michael est le protecteur de toute l'humanité, vous pouvez l'invoquer pour vous renforcer, pour changer de direction et pour trouver votre but. Invoquez Michael si vous ressentez un manque de motivation.

Cet archange travaille pour la coopération et l'harmonie avec les autres et se spécialise dans l'élimination des implants énergétiques et la coupure des liens qui nous paralysent.

L'Archange Michael nous aide à défendre nos vérités sans compromettre nos principes, il apporte la paix et lorsque nous sommes prêts à nous débarrasser de vieux concepts et croyances, l'Archange Michael nous soutient en coupant les liens qui nous lient négativement et nous empêchent de réaliser notre potentiel.

L'Archange Michael guide ceux qui se sentent piégés dans leur profession et nous aide à découvrir la lumière qui est en nous, en nous donnant du courage face aux situations difficiles.

Demandez à l'Archange Michael de couper les cordes énergétiques qui vous lient à des situations néfastes, à des personnes toxiques, à des schémas de comportement et à des émotions.

Les personnes liées à l'Archange Michael sont puissantes, fortes et empathiques. Vous invoquez l'Archange Michael pour protéger votre maison et votre famille, et il vient chaque fois que vous avez besoin de force pour surmonter un conflit difficile.

Vous pouvez visiter leurs temples en méditant ou en dormant, dans le royaume éthérique au-dessus des Rocheuses canadiennes.

Vierge - Archange Raphaël

L'archange Raphaël protège le signe de la Vierge et gouverne la journée du mercredi. Il est l'un des principaux anges guérisseurs et offre ses attributs d'efficacité et d'esprit d'analyse au sixième signe du zodiaque.

Les Vierges sont toujours attentives aux détails, car elles aiment examiner toutes les options avant de prendre une décision. Elles sont parfois timides et n'aiment pas attirer l'attention sur elles.

L'Archange Raphaël gouverne le Rayon #4, le Rayon Vert, et est connu comme l'Ange Gardien principal. Il aide à développer l'intuition et à ouvrir le cœur aux pouvoirs de guérison de l'Univers.

Raphaël vous met en contact avec votre spiritualité et vous permet de trouver la guérison dans les énergies universelles. Il est connu comme le médecin du royaume angélique, car il a la capacité de diriger ses pouvoirs de guérison vers la dissolution des blocages négatifs et des maladies.

Raphaël peut être invoqué pour nous guérir et pour guérir les autres. Raphaël aide à guérir les relations et à éliminer les dépendances. Il soutient les travailleurs de la lumière et

Et nous guide pour apporter des changements positifs dans notre vie.

Pour l'invoquer, allumez des bougies vertes. Vous pouvez visiter ses temples pendant la méditation ou dormir sur le plan éthérique au-dessus de Fatima, au Portugal.

Balance - Archange Haniel

La Balance est un signe protégé par l'archange Haniel, gouverné par la planète Vénus, et le vendredi.

La Balance est un signe impartial qui recherche toujours un équilibre entre l'âme, le mental et l'esprit. Elle est diplomate, stable et équilibrée. La diplomatie est leur caractéristique la plus évidente, car elles peuvent voir les deux côtés d'un conflit, mais sont quelque peu paralysées lorsqu'il s'agit de prendre des décisions.

La signification de l'archange Haniel est la gloire de Dieu et il entre en contact avec nous à travers les rêves. Il nous offre protection et harmonie. Haniel nous aide dans les changements positifs, les nouveaux départs et favorise l'équilibre dans les transitions.

Haniel gouverne la paix, apporte l'inspiration et aide à guérir l'envie et la jalousie.

L'archange Haniel nous incite à vivre dans le moment présent et à voir la réalité en nous. Il nous encourage à prendre soin de nous-mêmes et nous rappelle que nous sommes responsables de notre santé mentale et spirituelle. Il a le pouvoir de transformer la tristesse en bonheur et nous encourage à respecter nos rythmes naturels.

Invoquez l'Archange Haniel pour trouver l'équilibre, réaliser vos intentions et libérer les énergies négatives. Il vous aidera à rester calme lors d'événements importants et renforcera votre confiance. Haniel accorde des dons spirituels et des capacités psychiques et nous rappelle que nous sommes des êtres divins. C'est un ange guerrier, tournez-vous vers lui lorsque vous avez besoin d'un soutien spirituel ou que vous vous sentez émotionnellement faible, il vous donnera la détermination et l'énergie de faire confiance à votre intuition.

Scorpion - Archange Chamuel et Azrael

Le Scorpion est protégé par les archanges Azraël et Chamuel. Azraël est un ange qui gouverne la planète Pluton et Chamuel gouverne la planète Mars et le jour du mardi.

Les personnes sous l'influence du Scorpion ont une personnalité puissante et intense.

Les Scorpions ont une personnalité paranoïaque et sont obsédés par ce qui se passe dans leur vie. Ils s'accrochent fermement à ce qui leur appartient et refusent de céder sans se battre.

Le nom de l'Archange Azrael signifie celui que Dieu aide, il gouverne le Rayon #2 qui contient les vibrations de l'amour et de la sagesse. Azraël est souvent appelé l'ange de la mort et ce nom nous rappelle que la mort est une transformation.

Le but de l'Archange Azrael est d'aider ceux qui sont en transition de la vie physique à la vie spirituelle. Il fait preuve d'une grande compassion et d'une grande sagesse et possède des énergies de guérison universelles pour ceux qui pleurent la perte d'un être cher.

L'Archange Azrael réconforte les gens avant leur mort physique et veille à ce qu'ils ne souffrent pas pendant la mort, en entourant la famille et les amis en deuil d'énergies de guérison.

Invoquez l'Archange Azrael pour réconforter un être cher et transmettre des messages d'amour au monde spirituel. Azrael peut vous aider à traverser les étapes du deuil avec acceptation.

Azrael aide à créer de l'espace dans nos vies pour que de nouvelles énergies puissent y pénétrer.

Sagittaire - Archange Zadkiel

Le Sagittaire est protégé par l'Archange Zadkiel, qui travaille avec le rayon violet, gouverne la planète Jupiter et le jeudi.

Le Sagittaire est optimiste et intuitif par nature, mais il dépasse parfois les limites de la réalité.

Le nom Zadkiel signifie la justice de Dieu, mais il est aussi lié à l'obscurité et à l'inertie. Il nous aide à découvrir les aspects divins qui sont en nous et à développer les capacités qui servent nos objectifs de vie.

Zadkiel est l'Archange de la liberté, du pardon, de l'éveil spirituel, des bénédictions et du discernement. Utilisez la Flamme Violette pour invoquer l'Archange Zadkiel, qui vous aidera à méditer et à développer votre intuition. Zadkiel peut être invoqué pour apporter le pardon aux autres. Il guide les Anges de la Miséricorde et peut vous aider à être tolérant et diplomate.

Les énergies de guérison de l'Archange Zadkiel et de ses Anges de la Joie vous aideront toujours à transformer les souvenirs du passé, à surmonter les limitations, à éliminer les blocages énergétiques et à vous libérer des dépendances. Zadkiel vous encourage à aimer et à pardonner sans crainte et vous rappelle vous aimer et d'aimer les autres sans condition.

L'archange Zadkiel est la source d'énergie derrière la pauvreté et la richesse et toutes leurs manifestations, c'est pourquoi il est associé à la chance et au hasard. Zadkiel nous rappelle que la bonne et la mauvaise fortune sont méritées par chaque personne et évalue la chance en conséquence.

L'archange Zadkiel est responsable du début et de la fin des choses et peut être appelé pour mettre fin à une situation douloureuse. L'archange Zadkiel nous aide à trouver le courage intérieur de faire ce qui est juste pour nous-mêmes et pour les autres.

Pour entrer en contact avec l'Archange Zadkiel, utilisez des bougies violettes ou du quartz améthyste. L'Archange Zadkiel est associé au Maître Ascensionné Saint Germain et protège les mystiques,

L'Archange Zadkiel et Sainte Améthyste ont leur retraite éthérique, appelée le Temple de la Purification, sur l'île de Cuba.

Zadkiel guérit les blessures émotionnelles et les souvenirs douloureux, augmente l'estime de soi et aide à développer les talents et les capacités naturelles.

Si vous souhaitez une plus grande tolérance dans les situations conflictuelles, adressez-vous à l'Archange Zadkiel ; il transmutera tout ce qui est sombre et élèvera votre vibration.

Capricorne - Archange Uriel

Le Capricorne est protégé par l'Archange Uriel. Cet Archange signifie Feu de Dieu, gouverne le Rayon Rouge et est associé à la lumière, aux éclairs et au tonnerre.

Uriel est capable de nous montrer comment nous pouvons guérir notre vie, de nous aider à comprendre le concept de karma et de comprendre pourquoi les choses sont ce qu'elles sont. Uriel fait référence à la magie divine, à la résolution de problèmes, à la compréhension spirituelle et nous aide à réaliser notre potentiel.

Uriel devrait être invoqué lorsque l'on travaille sur des questions liées à l'économie et à la politique. Il peut également être invoqué pour obtenir une meilleure compréhension.

Uriel vous aide à vous libérer de vos peurs et ouvre des canaux de communication divine, favorise la paix, nous aide à nous libérer de nos schémas de comportement obsessionnels et apporte des solutions pratiques.

Uriel peut être invoqué pour le travail intellectuel et pour reconnaître la lumière en nous.

L'Archange Uriel a sa retraite éthérique dans les Monts Tatras en Pologne et tu peux demander à y être emmené pour guérir tes peurs.

Verseau - Archange Uriel

Le Verseau est protégé par l'Archange Uriel, qui donne à ce signe un caractère humanitaire.

Uriel travaille avec le rayon rubis et gouverne la planète Uranus.

Le Verseau est indépendant et progressiste. L'Archange Uriel aide à résoudre les problèmes et à trouver des solutions et est l'un des Archanges les plus puissants.

Uriel aide à dissoudre les blocages énergétiques dans le corps et, étant connu comme l'Ange du Salut, il est capable de nous montrer comment nous pouvons guérir notre vie, en trouvant des bénédictions dans l'adversité, en transformant les défaites en victoires et en nous libérant de fardeaux douloureux.

Uriel est l'ange de la transformation, de la créativité et de l'ordre divin, il gouverne les missionnaires et est le gardien des écrivains. Il est l'interprète des prophéties et de nos rêves. Il nous incite à prendre la responsabilité de notre vie et apporte des énergies de transformation dans notre esprit.

L'archange Uriel est invoqué pour la clarté et l'intuition. Il travaille à développer en nous les qualités de miséricorde et de compassion. Il offre sa protection, enseigne le service désintéressé et encourage la coopération.

L'archange Uriel purifie les vieilles peurs et les remplace par la sagesse, apportant une lumière vitale à ceux qui ont l'impression de s'être égarés et ressentent des émotions d'abandon et de suicide.

L'archange Uriel travaille à éradiquer la peur et à restaurer l'espoir, et cherche toujours à protéger le bien-être des personnes qui sont incapables d'exercer leur libre arbitre.

Invoquez l'Archange Uriel pour vous aider à développer votre plein potentiel et vous protéger de l'envie.

Vous pouvez demander à visiter ses temples pendant vos séances de méditation ou dans vos rêves. L'Archange Uriel a sa retraite éthérique dans les Monts Tatras en Pologne.

Poissons - Archange Azrael et Zadkiel

Le signe des Poissons est protégé et surveillé par l'Archange Azrael et l'Archange Zadkiel.

L'archange Azraël gouverne la planète Neptune et l'archange Zadkiel la planète Jupiter et le jour jeudi. Zadkiel travaille sur le rayon violet.

Les Poissons ont tendance à être idéalistes et sensibles, et aiment être amoureux. Tous les aspects de la vie doivent être empreints de romantisme.

L'Archange Zadkiel est le gardien de la Flamme Violette, qui a une fréquence vibratoire très élevée.

L'Archange Zadkiel est connu comme l'Ange de la Compréhension et de la Compassion et est associé à l'obscurité, à la contemplation et à l'éducation.

La mission de Zadkiel est de vous aider à vous éveiller spirituellement, en vous accordant des bénédictions conçues par la foi pour accroître la compréhension.

En utilisant la Flamme Violette, l'Archange Zadkiel vous aide à méditer et à augmenter vos capacités psychiques. Zadkiel nous aide à ouvrir notre esprit et nous donne une protection psychique.

Zadkiel encourage la tolérance, aide les gens à s'aimer eux-mêmes et nous relie à la mission de notre âme.

L'archange Zadkiel guérit nos blessures émotionnelles, nous libère et motive les gens à faire preuve de miséricorde envers les autres.

Travailler avec Zadkiel augmente votre estime de soi et vous aide à vous souvenir et à développer vos talents naturels, vos compétences et vos capacités. Appelez Zadkiel si vous avez besoin d'aide pour vous souvenir de détails et de faits spécifiques.

Invoquez l'Archange Zadkiel pour vous aider à guérir et à transcender vos émotions négatives et à améliorer vos fonctions mentales.

L'archange Zadkiel est l'énergie qui sous-tend la pauvreté et la richesse et toutes leurs manifestations, c'est pourquoi il est lié au hasard. Zadkiel distribue la justice sans préjugés, mais il est miséricordieux envers ceux qui le méritent. Il est responsable des commencements et des fins, et peut être invoqué chaque fois que l'on veut mettre fin à une situation chaotique.

L'archange Zadkiel est capable de briser les énergies bloquées ou stagnantes causées par la colère et la culpabilité.

Zadkiel et Santa Ametista ont leur sanctuaire éthérique sur l'île de Cuba.

Ange protecteur de votre signe astrologique

Nous nous sentons souvent seuls, sans protection physique ou émotionnelle. En réalité, même si vous ne le voyez pas, votre ange gardien ou votre guide spirituel est toujours avec vous et vous protège depuis le jour de votre naissance. Invoquez le nom de votre Ange lorsque vous sentez que vous avez besoin d'aide ou de conseils, choisissez de mettre votre vie entre ses mains et il vous guidera sur le meilleur chemin.

Bélier. Ange Annuel

Cet ange donne au signe du Bélier une santé indestructible et une protection contre les forces obscures du mal, y compris l'envie. Le Bélier a une personnalité inflexible et est très prompt au désespoir et à la colère, mais sa compassion et sa sensibilité lui ouvrent toutes les portes. Cet ange gardien est également connu sous le nom de Haniel ou Ariel. Il est l'ange de la créativité et de la sensualité. Il apporte le succès dans les relations, en amour et prévient les chagrins d'amour.

Taureau. Ange Uriel

Uriel entrera *toujours dans ta vie quand tu en auras besoin pour des examens, des études médicales et quand tu auras des problèmes de séparation. Uriel protégera toujours ton esprit et éclairera ta pensée afin que tu puisses prendre les bonnes décisions.*

Gémeaux. Ange Eyael

Eyael vous *protégera toujours de l'adversité et vous débalancera de l'injustice, surtout lorsque vous travaillez. Cet ange est très spécial, il sait qui est bon à côtoyer, c'est-à-dire qu'il t'entourera de personnes influentes qui t'aideront à réussir. Cet Ange t'encourage à toujours voir le côté positif des choses et encourage tes sentiments de générosité et ton désir d'aider les autres.*

Cancer. Angelo Rochel

Rochel *donne au signe du Crabe une excellente vision pour détecter les dangers, ainsi que de la créativité et du talent pour découvrir des secrets cachés. Il détruira toutes vos peurs et vos ennemis. Demandez-lui de vous donner de la clarté, de la ruse et de l'intelligence.*

Leo. Angelo Nelkhael

Nelkhael éloigne de *vous la tristesse et le manque d'estime de soi. Il vous protégera des personnes qui vous calomnient par jalousie et vous aidera à tenir vos engagements et à prendre vos responsabilités. Les problèmes de la vie quotidienne seront plus faciles à résoudre sous son influence. Nelkhael vous soutient dans les moments les plus sombres et les plus tristes.*

Vierge. Ange Melahel

Lorsqu'il est invoqué, ***Melahel élimine la*** *violence de votre vie et de votre entourage. Cet ange fournit une énergie qui éloigne vos ennemis ou vous rend invisible. Il est également lié à l'harmonie et à la guérison. Il vous amènera à vous connecter à l'univers et à profiter des secrets de la nature.*

Balance. Ange Yerathel

Yerathel *offre au signe de la Balance beaucoup d'intelligence et d'intuition pour identifier ses ennemis. Cet ange vous donne lucidité et capacité de* *réflexion, des caractéristiques qui vous permettront de vous entourer des bonnes personnes. Yerathel vous donne les armes de la justice et vous permet d'être sage et tolérant. En invoquant Yerathel, vous obtiendrez le succès.*

Scorpion. Azrael Angel

***Azrael**, connu comme l'Archange de la Mort, vous sauvera de l'injustice et, en même temps, renouvellera votre image et vos espoirs. Il vous rappelle que l'univers vous aime et vous guide sur le chemin de l'amour, de la tendresse et de l'harmonie au foyer. Si vous voulez trouver le bon partenaire pour créer une relation durable et fonder une famille, invoquez cet Ange.*

Sagittaire. Ange Umabel

***Umabel** repousse l'envie dans vos relations et les sentiments qui peuvent vous nuire, comme la colère, la jalousie et la haine. Elle vous* donne l'*éloquence pour vous exprimer calmement et clairement. Elle vous donne l'art de la persuasion. Vous savez faire pencher la Balance en votre faveur et améliorer vos capacités* *de communication pour pouvoir expliquer les choses importantes.*

Elle vous aide à prendre les bonnes décisions au bon moment.

Capricorne. Ange Sitael

Sitael, construisez des boucliers autour de vous, organisez votre vie et, si vous ne savez pas dans quelle direction aller, réfléchissez-y et concentrez-vous immédiatement. Si vous voulez améliorer votre situation financière, guérir d'une maladie, changer de maison, invoquez cet Ange et attendez le miracle.

Verseau. Ange Gabriel

Gabriel se battra pour toi jour après jour. Si tu as besoin d'aide parce que des personnes te veulent du mal ou te mettent en danger, demande la protection de cet Ange. Si vous craignez que quelqu'un commette une injustice à votre égard, en invoquant cet Ange vous serez sûr de neutraliser votre ennemi.

Poissons. Ange Daniel

Daniel vous gardera toujours à l'abri de la maladie et de la douleur physique, et vous vous sortirez toujours de toutes les mésaventures et de tous les accidents qui vous arrivent.

Carte des anges pour chaque signe du zodiaque 2024

Bélier. Carte des anges de Zadchiel

***Zadchiel** est l'Ange de la Miséricorde, symbolisant l'altruisme et le désintéressement pour le bien d'autrui. Zadquiel vous aidera à devenir une personne compatissante. Il vous aidera à retrouver les objets perdus, à améliorer votre mémoire et à guérir physiquement, émotionnellement et mentalement. Zadquiel vous aidera à apprendre à vous pardonner et à pardonner aux autres, à vous souvenir des informations importantes et à étudier. Si vous voulez*

vous libérer des préjugés, invoquez l'archange Zadquiel, car l'une de ses tâches principales est de vous aider à voir votre lumière intérieure.

Vous cesserez de considérer les erreurs comme des aspects négatifs de votre vie et commencerez à les voir comme un moyen d'apprendre. Vous verrez également vos échecs comme des bénédictions dans votre vie, parce que la perfection est impossible à atteindre et que même dans le chaos, il y a de la beauté.

Tu t'efforceras de devenir la meilleure version de toi-même, la meilleure personne que tu puisses imaginer. L'archange Zadquiel est un être supérieur que vous pouvez invoquer lorsque vous ressentez de la frustration, de la tristesse ou de la négativité. Ses armées peuvent vous aider à trouver le côté positif de toute situation et à vous sentir mieux émotionnellement.

Il est temps de se défaire des sentiments de culpabilité liés aux erreurs du passé. Reconnaissez que vous avez fait de votre mieux, même si les résultats n'ont pas été à la hauteur de vos espérances. Concentrez-vous sur les changements que vous avez apportés et qui ont fait de vous une meilleure personne.

Taureau. Carte des anges d'Uriel

Uriel, l*'ange des clés, vous avertit de prendre de nouveaux chemins et de vous méfier des mauvaises influences. Si vous commencez à douter de vous ou à perdre la foi, cette carte vous rappelle que tout est possible grâce à l'apprentissage. La connaissance peut ouvrir toutes les portes et de nouvelles compétences peuvent ouvrir toutes les serrures. La*

flamme du savoir ne s'éteint jamais et est à votre portée.

Uriel ne vous conduira jamais sur un chemin incertain sans raison. Il est là pour vous soutenir tout au long de votre parcours, vous permettant de dire votre vérité et de devenir la meilleure version de vous-même.

Cette lettre vous rappelle que vous êtes plus sage que vous ne le pensez et que votre sagesse intérieure vous donnera toutes les réponses que vous cherchez. Accueillez cette connaissance et faites-lui confiance. Si vous avez des doutes, demandez-lui de vous donner des signaux clairs qui valident vos idées.

Uriel aide à éclairer les situations les plus obscures. Cependant, il n'éclaire qu'une étape à la fois, et il se peut donc que vous ne puissiez pas discerner clairement le résultat de vos actions. Vous devez avoir confiance qu'avec l'aide d'Uriel, vous saurez quelle étape franchir en cours de route.

N'oubliez jamais que le pardon peut faire des miracles. Lorsque vous vous libérez du passé, un poids est enlevé de vos épaules et vous ressentez un sentiment de liberté. Demandez à Uriel de vous aider à soulager la tristesse ou la douleur causée par les autres, afin que vous puissiez être libre.

Gémeaux. Carte de l'ange Raphaël

Il représente la force et la brillance personnelles.

Pour réussir, il est nécessaire de capitaliser sur sa personnalité. Le don le plus puissant de Raphaël est sa capacité à transformer les vies par une cascade d'énergie positive. On peut accéder à ce canal énergétique par des affirmations ou des techniques de méditation. Au cours de l'histoire, Raphaël est apparu dans de nombreuses religions, ce qui en fait un archange accessible aux personnes de toutes confessions.

Ce n'est pas le moment de renoncer à des relations malsaines. Il y a encore de l'espoir pour l'avenir.

Votre vie va connaître de grands changements. Vous pourriez vous retrouver dans une nouvelle carrière, dans une nouvelle relation, ou déménager dans une nouvelle maison ou une nouvelle ville. Profitez de ces événements passionnants, Rafael sera à vos côtés tout au long du chemin.

N'oubliez pas que l'avenir est toujours en évolution. Si vous n'aimez pas le résultat, vous avez la possibilité de le changer. Si le résultat vous plaît, continuez sur votre lancée. Pour rester sur votre voie, continuez à faire ce que vous faites. Calmez-vous ou changez l'intensité avec laquelle vous travaillez.

Raphaël vous aidera à reconnaître les ramifications de vos actions et votre but dans la vie.

Cancer. Carte de l'ange Haniel

Il représente tout ce que la terre a à offrir. Il annonce une nouvelle phase de succès dans votre vie.

Haniel peut vous demander de ralentir et de réfléchir attentivement aux actions que vous voulez entreprendre.

Haniel essaie de te guider vers un choix plus élevé, alors mets de côté tout ce que tu penses savoir sur tes circonstances ou ta situation actuelle et permets simplement à l'Univers et à Haniel de te montrer le chemin.

Lorsque vous devez prendre une décision importante, cet Ange vous enverra de nombreux signaux par synchronicité pour vous indiquer la bonne voie à suivre.

Il est important que tu prennes le temps de te ressaisir, car cet ange peut venir te donner les conseils dont tu as besoin à ce moment-là.

Cette lettre est apparue pour vous apporter des messages d'espoir et vous indiquer qu'il est temps de prendre conscience de tous les messages que l'Univers et Haniel vous envoient.

Peut-être avez-vous besoin de réponses à des questions difficiles, ou peut-être vous demandez-vous si les choses vont s'améliorer dans votre vie. Haniel est apparu pour te dire que tu devras cependant réfléchir attentivement à ce que tu dis aux autres et à ce qu'ils te disent. Haniel ne vous jugera jamais pour ce que vous pensez ou dites, mais vous encouragera à vous concentrer sur les choses qui vous donnent un sentiment de joie, de paix et de gratitude.

Lion. Carte de l'ange Gabriel

Gabriel te montre la dualité du bien et du mal. Il annonce des voyages,
Il se peut que tu commences à avoir des pensées qui te surprennent. Il est important de garder à l'esprit que plus votre réaction émotionnelle à ces pensées est forte, plus vous devez y prêter attention. Remarquez ce que les autres vous disent et qui coïncide avec ce que vous pensez. Lorsque vous demandez à Gabriel de confirmer que ce que vous pensez est vrai, il est toujours prêt à agir, alors soyez attentif.

Vous avez peut-être envie de consacrer du temps à la méditation ou à la lecture de Balances de développement personnel. Gabriel vous encourage à le faire car il sait combien il est important de remplir votre esprit de pensées positives.

Gabriel vous permet de comprendre que pendant que vous faites des changements dans votre vie et que vous faites face à des défis, vous êtes en totale sécurité. Il sait ce qui est le mieux pour vous. Rappelez-vous que lorsqu'on vous demande d'attendre, cela signifie qu'il y a quelque chose de mieux que ce que vous pouvez imaginer, préparé juste pour vous. C'est pourquoi vous devez accepter la situation.

Ne vous précipitez pas lorsque vous voyez quelque chose qui pourrait briser votre volonté. La porte suivante s'ouvrira le moment venu et vous aurez une nouvelle force.

Vierge. Carte des anges de Remiel

Remiel représente la miséricorde de Dieu, montrant que vous avez été privé de quelque chose. En cette année 2024, il est très important de se consacrer à l'acquisition de nouvelles connaissances, idées et compétences. Peut-être souhaitez-vous commencer à apprendre et cette carte vous encourage à suivre ce désir.

Si vous êtes étudiant, Remiel vous demande de poursuivre votre formation. Parfois, lors de l'acquisition de nouvelles connaissances et compétences, nous avons envie de les mettre rapidement à l'épreuve de la pratique, ce qui conduit de nombreuses personnes à quitter l'école prématurément.

Cette lettre vous conseille de ne pas vous précipiter. Continuez à étudier. L'épanouissement personnel qui découle de l'apprentissage peut vous apporter de la joie.

Remiel sait qu'il exerce de nombreuses responsabilités dans la vie et qu'il a donc besoin de temps, d'argent et d'autres ressources. Cette carte lui rappelle que des doses régulières de plaisir peuvent l'aider à atteindre ses objectifs. Amusez-vous et riez, détendez-vous. Dans cet état, vous devenez plus réceptif aux nouvelles idées, aux connexions spirituelles, aux enseignements et à l'énergie divine.

En outre, votre bonne humeur attire vers vous de nombreuses personnes merveilleuses qui peuvent vous aider. Votre attitude positive à l'égard du monde vous ouvre de nouvelles opportunités.

Balance. Carte de l'Ange de Saint Michel

L'archange Michel représente la justice et les forces du bien qui l'emportent sur le mal.

Vous n'êtes pas obligé de pardonner les erreurs, mais si vous pardonnez à quelqu'un, vous trouverez la paix. Il est conscient que ces sentiments peuvent être tout à fait justifiés, mais il vous demande de voir le prix élevé que vous payez pour avoir accumulé toute cette colère.

Débarrassez-vous de toutes les douleurs et colères du passé. Lorsque vous vous pardonnez à vous-même et aux autres, votre karma est nettoyé du fardeau des erreurs passées.

Tout le pouvoir du créateur est en vous. Tout le pouvoir de l'amour et de la sagesse divins est à votre disposition. Tu as la capacité de voir les anges et l'avenir, et tu as aussi l'intelligence de connaître la sagesse universelle de l'esprit divin.

Grâce à votre force émotionnelle, vous pourrez tenir tête aux autres et votre pouvoir psychique sera vraiment infini au cours de l'année 2024. Les anges vous demandent d'éliminer toutes les peurs liées à l'utilisation de la force. Ils voient votre véritable pouvoir rayonner de l'amour divin. Laissez-vous rayonner par cet amour, afin que votre véritable pouvoir puisse accomplir les miracles dont vous avez besoin.

Vous pensez parfois être pris en otage par les circonstances de la vie, mais cette carte vous demande de réaliser que vous êtes votre propre prisonnier. Lorsque vous comprendrez que vous pouvez vous libérer, vous le ferez immédiatement.

Tout ce que vous faites dans votre vie, vous le faites par choix. Même les prisonniers sont libres de choisir leurs pensées, ce qui leur permet de trouver la paix et le bonheur en toutes circonstances. La prochaine fois que vous commencerez une phrase par les mots "Je suis obligé...", arrêtez-vous. Demandez à Miguel de vous montrer des alternatives. Il vous aidera.

Scorpion. Carte de Raziel l'Ange

Il est l'Ange des secrets et des mystères. En 2024, il vous révélera les mystères du monde terrestre et spirituel.

Cette année marque le début d'une période de croissance spirituelle dans votre vie et même si vous éprouverez des sentiments mitigés de confusion, de peur et de surprise, vous ne devez pas perdre votre sang-froid. Abandonnez vos peurs. Raziel vous soutient, vous aime et vous guide à chaque instant. Ne t'inquiète pas de savoir comment ton avenir s'harmonisera avec ta croissance.

Tu recevras des messages importants dans tes rêves. C'est une période de changements merveilleux dans ta vie, alors fais confiance à Raziel, il s'occupera exactement de ce que tu veux.

Les changements dans votre vie peuvent être douloureux si vous ne faites pas preuve de souplesse d'esprit. Si vous avez un nouvel amour, n'oubliez pas que le passé reste dans le passé, loin du nouveau bonheur.

Tu as besoin d'élargir tes horizons et Raziel est là pour t'aider. Il est temps d'écouter ton cœur. Prends conscience de l'importance du toucher et ne sois pas trop têtu. Aie confiance en toi. Ne t'inquiète pas. Quels que soient les défis que tu rencontres, tu es sur le chemin de la sérénité.

Tu as besoin de réconfort et cet ange te donne confiance. Bientôt, tu seras sur le chemin du bonheur et de l'harmonie dont tu as besoin. Fais de bonnes actions, elles t'aideront à te sentir mieux et tu recevras de bonnes choses en retour.

Sagittaire. Carte de l'ange Metatron

Il représente la grandeur et la force qu'une personne devrait avoir. En invitant Metatron dans votre vie, vous vous ouvrez à la guérison spirituelle et énergétique, vous vous purifiez de toute négativité. Vous vous protégez des maladies et, bien sûr, vous vous rapprochez de la transformation.

Vous devez honorer toutes les émotions que vous ressentez à ce moment-là, qu'elles soient positives ou négatives. Les émotions peuvent nous apprendre beaucoup sur nos véritables sentiments et sur les personnes ou les situations qui les ont suscités.

Vous pouvez recevoir des commentaires d'autres personnes et c'est le miroir qui vous permet de voir ce qu'il y a à l'intérieur de vous.

Metatron vous protège en coupant les cordes qui vous lient aux gens, aux lieux et aux choses. Si vous avez peur, si vous manquez de courage ou si vous avez besoin de protection, imaginez son manteau protecteur autour de vous, vous aidant à vivre votre vérité. Il s'agit d'une carte spéciale. Vous êtes guidé et soutenu. Metatron est avec vous en ce moment et il y a un message spécial qu'il veut partager avec vous. Fermez les yeux, respirez profondément, entrez-en vous-même et détendez-vous. Écoutez les conseils que vous recevez.

Vous êtes parfait, et c'est un fait spirituel. Metatron vous embrasse doucement et vous fait savoir que vous êtes un être spirituel parfait. Vous n'êtes pas seul, peu importe ce que vous ressentez. Remets tous tes soucis entre ses mains et permets-lui de guérir tes problèmes grâce aux conseils divins.

Votre vie a un sens et chaque étape est une partie essentielle de votre voyage, mais soyez assurés que vous êtes protégés à tout moment et que tous les anges veillent sur vous avec beaucoup d'amour. Faites confiance.

Capricorne. Carte de l'ange Raguel

*C'****est l'****Ange qui prodigue des conseils aux hommes pour les guider sur le chemin de la vie.*
Votre âme sœur va entrer dans votre vie. Si vous êtes libre, considérez la carte comme un signe de Raguel que votre âme sœur est présente.

Supposons que vous soyez dans une relation et que vous sachiez que cette personne n'est pas votre âme sœur. Dans ce cas, vous et votre partenaire serez doucement guidés pour améliorer la relation, ou pour y mettre fin avec élégance, afin d'obtenir une nouvelle relation avec votre âme sœur.

Une meilleure concentration sur les désirs de votre cœur et un meilleur contact avec votre Moi supérieur vous aideront à accomplir toutes les tâches et à résoudre tous les problèmes que vous avez remis à plus tard. Vous avez peut-être une liste d'objectifs pour cette année 2024, mais vous devriez libérer votre esprit et mieux concentrer vos pensées sur ce que vous voulez vraiment et vous serez en mesure de réaliser vos souhaits.

Visualiser vos souhaits est le moyen le plus rapide d'ouvrir la porte à l'univers et à son offre de les réaliser. Ne vous préoccupez pas de savoir comment vos souhaits se réaliseront. Laissez-les entre les mains de l'univers.

Écoutez votre moi supérieur et demandez aux anges de vous guider. Commencez à agir dès que vous vous sentez encouragé. Parfois, les résultats ne seront pas ceux que vous attendiez, mais c'est la beauté de la vie et de l'univers. Vous êtes guidé vers ce dont vous avez vraiment besoin.

Verseau. Carte de l'ange Amiel

Il est annonciateur des changements auxquels vous devrez vous adapter et des territoires inconnus que vous devrez visiter.

Offrez-vous des moments de qualité avec votre famille et vos amis. Vous pouvez puiser beaucoup de force auprès de ceux qui vous aiment. Si vous avez un problème avec un membre de votre famille ou un ami, Amiel vous encourage à le faire remonter à la surface.

La libération et la guérison vous libèreront, créant des opportunités plus favorables pour vous. Ou peut-être que le simple fait de passer du temps de qualité avec vos proches produira des résultats positifs.

En progressant spirituellement, vous deviendrez plus sensible aux vibrations denses et négatives de la réalité, ainsi qu'aux dimensions supérieures de l'amour. Cette carte vous incite à nettoyer votre espace énergétique.

Cette année, respirez calmement et imaginez que vous êtes entouré d'une sphère de lumière blanche. Amiel vous apporte ses bénédictions.

Vos prières seront entendues et exaucées. L'amour, les finances, l'amitié et la famille seront déterminés par votre attitude. Demandez à Amiel de vous aider à vous traiter avec le respect que vous méritez. Lorsque vous êtes dans cet état d'estime de soi, vous êtes plein d'énergie positive qui se répand sur les gens autour de vous. Cela vous permet d'attirer des relations positives et aimantes qui sont gratifiantes.

Poissons. Le thème des anges de Dobiel

Messager des secrets divins.

Qu'il s'agisse d'anges, de membres de la famille, de voisins ou d'amis, vous recevrez de l'aide. En demandant de l'aide, vous permettez à l'univers d'agir en votre faveur. Croyez que vous serez guidé vers la bonne personne ou la bonne situation qui pourra vous aider dans n'importe quel domaine.

Nous ne sommes pas des îles en soi et nous ne sommes pas obligés de résoudre tous les problèmes de manière indépendante. Les anges aiment partager, et un problème partagé est la moitié du problème. Ne craignez jamais de demander de l'aide. Les miracles existent et vous y avez droit.

Vous devez vous encourager à rester positif et à vous concentrer uniquement sur ce que vous voulez. Penser à ce que l'on ne veut pas ne donne que des résultats négatifs. Le simple fait de se concentrer sur des pensées positives peut améliorer votre vie.

Si vous sentez que vous manquez d'approche positive, demandez de l'aide à l'univers et, surtout, croyez qu'il vous aidera. Même ce petit geste contribuera à faire une grande différence dans votre vie.

Vous avez les compétences, la confiance et les connaissances nécessaires pour diriger une entreprise prospère. Qu'attendez-vous ? Avec cette carte, Dobiel veut vous dire que vous avez le talent pour réussir dans votre entreprise. Si vous avez pensé à devenir indépendant et à créer votre propre entreprise cette année 2024, cette carte est un bon signe que votre intuition est juste. Il est parfois difficile de faire le premier pas, mais soyez assuré que Dobiel vous guide dans cette affaire et faites-lui confiance.

Signification de 2024

2024 est le nombre idéal pour créer. En effet, sa vibration est liée à un vaste domaine de possibilités infinies.

Cette vibration peut prendre différentes formes. Elle peut façonner votre avenir ou peindre dans votre esprit une image de ce que sera votre vie lorsque vos désirs les plus profonds se réaliseront. Cela vous donnera la motivation nécessaire pour aller de l'avant dans votre vie.

2024 est une année puissante car vos sens psychiques seront renforcés. Si vous souhaitez avoir plus d'intuition ou ouvrir votre perception, c'est l'année idéale pour le faire. C'est le moment idéal pour créer au sens littéral du terme. En fait, c'est un nombre angélique très créatif.

Prédictions angéliques pour le signe 2024

Prévisions pour le Bélier

L'année 2024 indique que l'amour, les nouvelles connaissances et la passion vous attendent. Des richesses inattendues peuvent arriver, vous apportant la sécurité dans votre vie financière. Mais n'oubliez pas que vous devez accepter l'incertitude et être ouvert à des changements inattendus dans votre vie. Dans votre vie professionnelle, vous obtiendrez succès et reconnaissance.

Un avenir radieux vous attend. Il est conseillé de regarder à l'intérieur de soi et de valoriser les qualités que l'on possède depuis l'enfance, en se rappelant que mûrir ne signifie pas abandonner son essence la plus pure, mais la laisser grandir avec soi. Vous aurez la possibilité de trouver un emploi plus proche de vos intérêts et qui stimule votre vie à bien des égards, en dehors de l'aspect économique.

Prévisions pour Taureau

L'année 2024 sera également chanceuse sur le plan matériel, mais vous devrez travailler dur pour obtenir tout ce que vous désirez.

Vous aurez beaucoup de prospérité économique et de joie intérieure. Vous devez être prêt à recevoir une protection dans le domaine économique, la prospérité entrera dans votre vie de telle sorte que les inconvénients matériels disparaîtront. Vous commencerez une nouvelle vie et vous atteindrez aussi l'abondance spirituelle.

Il peut y avoir des difficultés à résoudre les problèmes, il faut donc avoir confiance en soi, car tout sera une épreuve que l'on pourra surmonter.

Votre ange vous conseille de rester à l'écart des situations conflictuelles et d'essayer de neutraliser les critiques de vos collègues de travail.

Maintenez votre discipline, sans négliger la recherche d'un emploi offrant de meilleures conditions et un environnement plus sain. Vous terminerez l'année avec plusieurs propositions sur la table, n'oubliez pas de demander l'éclairage divin pour prendre les meilleures décisions.

Prévisions pour les Gémeaux

L'amour et la sécurité sont au rendez-vous cette année. Vous aurez un partenaire stable et heureux.

Amour et joie. La lumière de l'amour entre dans votre vie, il vous suffit d'être patient. Profitez de la stabilité et du bonheur qui s'annoncent et que vous devez accueillir à bras ouverts. Laissez tomber les sentiments de solitude et recevez l'amour pur qui vous attend. Vos rêves sont sur le point de se réaliser. Peut-être que vos souhaits ne se réaliseront pas exactement comme vous le souhaitiez, mais la récompense sera exactement ce que vous espériez.

Votre ange vous met en garde contre des situations qui pourraient s'aggraver si vous n'y prêtez pas attention. Prêtez une attention particulière aux problèmes ou troubles abdominaux, qui peuvent également concerner les organes reproducteurs. Une attention opportune préservera votre bonne santé.

Après une période au cours de laquelle vos finances ont fluctué, vous retrouverez la stabilité cette année.

Prévisions concernant le cancer

Vous souvenez-vous de la magie du monde qui vous entourait pendant votre enfance ? Les Anges te demandent de retrouver ce sentiment de magie en te rappelant les merveilleux pouvoirs qui t'entourent. Les Anges veulent vraiment te soutenir, t'aider à te débarrasser des angoisses inutiles pour rayonner de joie et de spontanéité comme un enfant.

Vous protégerez votre liberté avant toute autre valeur, malgré les critiques des autres ou les éventuelles disputes qui pourraient survenir.

Il se peut que vous vous sentiez plus à l'aise seul que dans des entreprises qui ne vous permettent pas de vous développer. Les voyages et les longues conversations avec des amis peuvent vous donner le feu vert pour changer de partenaire ou repenser les termes de votre relation.

Ce sera une année de test, car seuls ceux qui comprennent la vie librement resteront, tandis que ceux qui ne la comprennent pas prendront certainement des chemins différents.

Prévisions pour le lion

Vous n'êtes pas seul, les Anges Gardiens veulent vous dire qu'ils ne vous abandonneront jamais. Rien de ce que vous pensez, dites ou faites ne peut repousser vos accompagnateurs divins.

Restez calme dans les situations de la vie quotidienne, car vous pourriez continuer à souffrir d'insomnie cette année. N'essayez pas de faire face à plus que ce que vos forces peuvent supporter et vous verrez des changements positifs dans votre santé physique et mentale.

Votre économie connaîtra de grands changements au cours de l'année 2024. Vous devriez vous tenir à l'écart des personnes dont l'attitude vous prive d'énergie au lieu de vous en donner. Ne craignez pas la nouveauté ; rappelez-vous que votre ange sera prêt à vous aider à trouver un nouvel emploi de façon excellente et rapide.

Votre ange vous conseille de vous concentrer sur le travail et de mettre de côté la compétitivité de votre signe, car toute cette énergie débouchera sur des chefs-d'œuvre, à condition que vous vous concentriez.

Votre éclat personnel sera indéniable, vos possibilités sentimentales se multiplieront, c'est pourquoi vos anges vous conseillent de rester prudent et d'éviter les tentations afin de concentrer vos énergies sur le bon chemin.

Prévisions pour la Vierge

Cette année, vous devriez choisir une profession qui vous plaît. Les anges vous aideront à trouver ces talents en vous.

Soyez prêt à faire face à des événements inexplicables et profitez de toutes les opportunités. Les Anges Sages vous suggèrent de vous débarrasser des habitudes qui vous empêchent d'avancer. Faites des choses différentes et observez votre vie avec intérêt. Si le chemin à parcourir est compliqué, agissez comme si vous exploriez un lieu inconnu. Les Anges vous incitent à aller de l'avant dans l'attente et l'espoir.

Vous aurez l'occasion de créer votre propre destin sentimental, en mettant de côté vos doutes et en prenant quelques risques supplémentaires.

Prenez des précautions, car un encouragement ou une récompense fera que beaucoup de gens envieront vos triomphes. Votre ange vous conseille de renforcer votre estime de soi et de reconnaître que vous êtes un être doué qui mérite le meilleur de ce que l'univers peut vous donner.

Si vous avez un partenaire stable, la fin de l'année sera une période très favorable pour poursuivre les engagements visant à unir les groupes familiaux et à les réorganiser. Les grands investissements soutenus par votre partenaire auront des résultats positifs.

Prévisions pour la Balance

L'année 2024 est très importante pour vous. Vous devez méditer plus souvent. Pour cela, lorsque vous vous réveillez le matin, restez au lit pendant les cinq premières minutes, les yeux fermés et respirez profondément. Parlez-leur et écoutez ensuite attentivement le message qui vous sera envoyé.

Les Anges vous disent de vous éloigner de toutes les activités qui ne reflètent pas vos intentions.

Toutes les questions relatives au travail, aux relations et à la santé seront résolues avec un succès surprenant. Les anges vous guident constamment vers des actions qui corrigeront toute situation négative.

Votre ange vous montrera le chemin de la réconciliation avec ceux que vous avez laissés derrière vous et vous rappellera qu'il n'est pas bon de se séparer de ceux qui vous ont montré une loyauté constante.

Des allergies et des problèmes de gorge peuvent survenir.

Votre ange activera votre vie sociale de manière inimaginable. Gardez un rythme détendu et évitez les exercices fatigants.

Prévisions pour le Scorpion

Cette année 2024, vous devez faire confiance à votre intuition. C'est ce que les Anges vous disent. Les sensations intuitives que tu éprouves, les visions, la voix intérieure, sont autant de tentatives pour te dire quelque chose d'important ; tu dois donc te fier à ces directives et les suivre.

Rappelez-vous que lorsqu'on vous demande d'attendre, cela signifie que quelque chose de mieux que ce que vous pouvez imaginer est préparé juste pour vous. C'est pourquoi vous devez changer d'attitude et accepter la situation. Détendez-vous.

Demandez à votre Ange de vous soutenir tout au long de l'année afin que vous puissiez écouter les conseils divins. Ne vous précipitez pas lorsque vous voyez quelque chose qui pourrait briser votre volonté.

La porte suivante s'ouvrira le moment venu et vous reprendrez des forces.

Les anges vous aideront à satisfaire vos besoins romantiques. Demandez-leur de l'aide et acceptez-la. Les anges vous aideront à trouver l'amour de votre vie, ils vous guideront, vous montreront le chemin pour réaliser vos désirs.

Par exemple, vous pouvez ressentir un fort désir d'aller à un certain endroit. Vous y rencontrerez une personne avec laquelle vous aurez une relation amoureuse.

Les Anges souhaitent également que vous amélioriez votre éducation.

Prévisions pour le Sagittaire

Un nouveau chapitre de votre vie s'ouvre. Vous aurez un nouveau partenaire ou une ancienne relation sera rétablie. Ouvrez votre cœur à ce nouveau sentiment d'amour qui vous envahit.

Regardez bien les personnes que vous rencontrez sur votre chemin, soyez ouvert aux changements dans les relations existantes et ne vous accrochez pas trop à vos vieilles idées à leur sujet. Le moment est venu d'apporter de merveilleux changements dans votre vie, alors faites confiance aux Anges.

Certains changements dans votre vie peuvent être douloureux si vous ne faites pas preuve de suffisamment de souplesse dans vos pensées et vos actions. Si vous avez un nouvel amour, n'oubliez pas que le passé doit rester dans le passé, loin du nouveau bonheur.

Votre relation actuelle pourrait se terminer ou, au contraire, entrer dans une nouvelle phase d'amour renouvelé, les Anges vous demandent de leur faire confiance et de suivre leurs instructions.

Si tu as déjà une relation étroite avec quelqu'un, les Anges te demandent de lui donner une chance et de décider ce qu'il faut en faire, en essayant de la développer à un niveau supérieur ou d'y mettre fin pour faire place à un nouvel amour. Dans les deux cas, les Anges seront à vos côtés pour vous aider à choisir le bon chemin !

Prévisions pour le Capricorne

Le moment est venu de vous instruire. Les Anges vous conseillent de ne pas économiser vos forces ou votre temps pour cette activité, mais de lire, d'écouter et de vous développer.

Au cours de cette année, il est très important que vous vous consacriez à l'acquisition de nouvelles connaissances, idées et compétences. Il se peut que vous souhaitiez commencer à apprendre et, si vous étudiez, les Anges vous demandent de poursuivre votre éducation.

Parfois, au cours du processus d'acquisition de nouvelles connaissances et compétences, nous avons le désir de les tester rapidement dans la pratique, ce qui conduit de nombreuses personnes à quitter l'école prématurément. Poursuivez votre formation.

Le développement personnel qui accompagne l'apprentissage peut vous apporter de la joie si vous vous rappelez que vos pensées doivent rester ici et maintenant.

Demandez à vos anges de vous aider à vous débarrasser de la peur de la pauvreté afin que vous puissiez profiter pleinement de la croissance de l'abondance. Les anges signalent l'arrivée de l'abondance dans votre vie. Dans votre vie. Continuez à croire, cela vous apportera un soutien matériel, émotionnel, spirituel et intellectuel constant.

Prévisions pour le Verseau

Cette année, détendez-vous, donnez aux Anges la possibilité de vous aider. Tout ce que vous abandonnez sera remplacé par quelque chose de meilleur.

Vous vous obstinez et cela n'est pas bon pour vous et ne permet pas au bonheur et à la santé d'entrer dans votre vie.

Si vous êtes malheureux en amour, si vous ne progressez pas dans votre carrière, si vous avez des problèmes familiaux ou financiers, ainsi que des maladies, laissez les Anges régler la situation.

Si vous persistez dans les aspects négatifs de votre vie et craignez que les choses ne s'aggravent, elles s'aggraveront. En revanche, si vous êtes prêt à vous libérer de la situation qui vous oppresse, la situation actuelle s'améliorera merveilleusement.

Les Anges vous demandent de ne pas essayer de contrôler l'issue de votre situation négative actuelle. Laissez-vous aller.

Les Anges confirment qu'à travers vos sentiments, rêves, visions et intuitions, vous les écoutez vraiment et qu'il ne s'agit pas d'hallucinations. Si vous avez soudain le désir de téléphoner à quelqu'un, d'aller quelque part, de lire quelque chose, il est important que vous suiviez ces impulsions intérieures, les Anges vous demandent d'abandonner tout doute sur la guidance divine.

Prévisions pour les Poissons

Les Anges connaissent vos déceptions passées qui ont miné votre foi en vous-même, dans les autres et même dans les Anges, mais ils vous rappellent l'importance de préserver votre foi.

Les Anges savent que, comme tout le monde, tu as commis des erreurs dans le passé. Mais ces erreurs ne changent rien à ta vraie nature. Il y a en vous une partie de la nature divine qui est infaillible. Les Anges vous demandent de croire en vous-mêmes. Essayez de faire en sorte que vos pensées et vos sentiments reflètent vos véritables intentions.

Les Anges vous demandent de bien choisir vos objectifs et de les réaliser avec amour. Visualise-toi parmi d'autres personnes qui sont heureuses, qui réussissent et qui sont en paix. En gardant vos intentions hautement spirituelles, vous vous aidez vous-même et aidez les autres. Les Anges te demandent de remplacer les habitudes de pensée négatives par des habitudes positives, alors demande-leur de t'aider.

A propos de l'auteur

Outre ses connaissances astrologiques, Alina A. Rubi possède une riche expérience professionnelle. Rubi possède une riche expérience professionnelle ; elle est certifiée en psychologie, hypnose, reiki, guérison bioénergétique avec des cristaux, guérison angélique, interprétation des rêves et est formatrice spirituelle. Rubi a des connaissances en gemmologie, qu'elle utilise pour programmer des pierres ou des minéraux en amulettes puissantes ou en talismans protecteurs.

Rubi a une nature pratique et orientée vers les résultats, ce qui lui a donné une vision spéciale et intégrative des différents mondes, facilitant la recherche de solutions à des problèmes spécifiques. Alina rédige des horoscopes mensuels pour le site web de l'Association américaine des astrologues, qui peuvent être consultés à l'adresse www.astrologers.com. Elle tient actuellement une chronique hebdomadaire dans le journal El Nuevo Herald sur des sujets spirituels, publiée tous les dimanches en format numérique et les lundis en format papier. Il présente également un programme hebdomadaire et un horoscope sur la chaîne YouTube du journal. Son annuaire astrologique est publié chaque année dans le journal Diario las Américas, avec la rubrique Rubi Astrologa.

Rubi a écrit plusieurs articles sur l'astrologie pour la publication mensuelle "Today's Astrologer" et a donné des cours sur l'astrologie, le tarot, la lecture des lignes de la main, la guérison par les cristaux et l'ésotérisme. Elle diffuse des vidéos hebdomadaires sur des sujets ésotériques sur sa chaîne YouTube : Rubi Astrologer. Elle a eu sa propre émission d'astrologie diffusée quotidiennement sur Flamingo T.V., a été interviewée par divers programmes de télévision et de radio et publie chaque année son "Annuaire astrologique" avec l'horoscope signe par signe et d'autres sujets mystiques intéressants.

Elle est l'auteur des livres "Rice and beans for the soul" Part I, II et III, une collection d'articles ésotériques publiés en anglais, espagnol, français, italien et portugais. Money for Every Pocket", "Love for Every Heart", "Health for Everybody", Astrological Yearbook 2021, Horoscope 2022, Rituals and Spells for Success in 2022, Spells and Secrets 2023, Astrology Lessons, Rituals and Spells 2024 et Chinese Horoscope 2024 sont disponibles en neuf langues: anglais, russe, portugais, chinois, italien, français, espagnol, japonais et allemand.

Rubi parle couramment l'anglais et l'espagnol et combine tous ses talents et connaissances dans ses lectures. Elle vit actuellement à Miami, en Floride.

Pour plus d'informations, veuillez ***consulter le site*** *www.esoterismomagia.com.*

Angeline A. Rubi est la fille d'Alina Rubi. Elle est l'éditrice de tous les livres. Elle étudie actuellement la psychologie à l'université internationale de Floride. Elle est l'auteur de Protein for Your Mind, un recueil d'articles métaphysiques.

Elle s'intéresse aux sujets métaphysiques et ésotériques depuis son enfance et pratique l'astrologie et la Kabbale depuis l'âge de quatre ans. Elle connaît le tarot, le reiki et la gemmologie.

Pour de plus amples informations, veuillez la contacter par courrier électronique : ***rubiediciones29@gmail.com***

Milton Keynes UK
Ingram Content Group UK Ltd.
UKHW051033221123
433051UK00018B/780